未来のソフィーたちへ

DET ER VI
SOM ER HER NÅ
En livsfilosofi
by JOSTEIN GAARDER

「生きること」
の哲学

ヨースタイン・ゴルデル
柴田さとみ＝訳

NHK出版

未来のソフィーたちへ　「生きること」の哲学

Det er vi som er her nå

First published by Kagge Forlag, 2021
Published in agreement with Oslo Literary Agency

装幀
坂川朱音

装画
福田利之

本書の原稿にこころよく目を通してくださり、賢く、ユーモアに満ち、見識に富んだ指摘を寄せてくださった、アンネ・スヴァドルップ・ティーゲセン、ダグ・O・ヘッセン、エイステイン・エルガレイに、心からの感謝を。

――J・G・

目次

はじめに　レオ、オーロラ、ノア、アルバ、ユリア、マーニ、愛する孫たちへ　7
第1章　魔法の国　13
第2章　テントウムシ　21
第3章　心を読む男　26
第4章　わたしの祖父　37
第5章　超心理学　43
第6章　超常現象　49
第7章　地球という惑星　62
第8章　クロノメーター　67
第9章　時間と空間　75

第10章　地質時代　85
第11章　電波信号　100
第12章　地球の持続可能性　110
第13章　光学的化石　125
第14章　ラタトスク　135
第15章　整形外科医と宇宙飛行士　145
第16章　九つの脳　152
第17章　いま問うべきこと　167
第18章　黄昏（たそがれ）　189
訳者あとがき　202

【編集部注】

〔　〕は訳注をあらわす。

本書はドイツ語翻訳版（*Ist es nicht ein Wunder, dass es uns gibt?* translated by Gabriele Haefs）からの邦訳です。

はじめに

レオ、オーロラ、ノア、アルバ、ユリア、マーニ、愛する孫たちへ

いま、わたしはパソコンの前に座って、きみたちに宛(あ)てて手紙を書こうとしている。なんだか少しむずがゆい気分だ。こういう形できみたちに語りかけるのは、ちょっと不思議な感じがする。

きみたちの祖父であるわたしは、この手紙をだれもが読める一冊の短い本にしようと考えている。特定の人に宛てて書かれたけれど、その人だけでなくほかのだれでも読むことができる、そういう手紙のことを「公開書簡」という。

本になるまで、きみたちはこの手紙を読むことはできない。だからといって、やきもきしながら待たされる心配はない。というのも、この本が出版社を通じて世に出るまで、手紙のことは秘密にしておくつもりだからだ。できあがった本をきみたち一人ひとりに直接手渡すのを、とても楽しみにしている。きっと、きみたちにとっても、わたしにとっても、記念すべきひとときになるだろう。そのときのようすがありありと目に浮かぶ。一対一でそれぞれに手渡すのもいいし、みんなで集まってにぎやかに

贈呈式をするのもいいかもしれない。

　こんなふうに本にする前提で手紙を書くのは、わたしにとってこれが初めてというわけじゃない。わたしが書いた本のなかには、手紙の形をとったものがいくつもある。でも、それらはどれも、わたしが創作した架空の人に宛てた手紙だった。ただひとつの例外は、いまからおよそ千六百年前の北アフリカに実在した「教父」と呼ばれる有名な司教に宛てた、ある女性の手紙だ（この女性になりきって手紙を書くのは、とても楽しい作業だった）。わたしはその女性に、いわば声を授けたかったんだ。彼女もまた、司教が書いた『告白』という自伝のなかに出てくる実在の人物だ。だが、わかっているのは、長いあいだ司教と連れ添っていたのに、あるとき捨てられてしまったということだけ。それ以外は名前すらわからない。だからわたしは、『フローリアの「告白」』と題したこの本のなかで、彼女をフローリア・アエミリアと名づけた。

　もちろん、フローリアの手紙が司教に届くことはない。それでも、現代に生きる彼の信徒とでも言うべき人たちに、この手紙を読んでもらえたらとわたしは考えた。それに、かつて自分が心から愛したこの不幸な女性から、アウグスティヌス――そう、それが司教の名前だ――が実際に手紙を受け取っていた可能性だって、おおいにある。

でも司教は結局、この世で愛した女性を選ぶことではなく、肉欲を禁ずる信仰を守ってあの世での永遠の生を得ることを決断したんだ。つまり、このふたつは相いれないものだと考えたということだ。

　ここで重要なのは、司教が想像上のあの世、つまりはべつの世界のために、この世の人生のじつに多くのことを犠牲にすることができてしまったという点だ。そして、この問題は、あれから千六百年が経ったいまでもなお、変わらず存在しつづけている。この本では生きることにまつわる哲学的な問いをたくさんあつかうが、これもまたそうした問いのひとつだ。

　では、わたしにとって何が初めてなのかというと、それはわたし自身がよく知っている、現在を生きる若い人たちに宛てて本を通じて手紙を書くということだ。いまこれを書いている時点で、きみたちのうち、いちばん下の子は生まれてまだ数週間、いちばん上の子はまもなく十八歳。三人は女の子で、三人は男の子。でも、きみたちには共通点がある。といっても、同じ祖父をもつ孫どうしということじゃない。それよりもっとずっと大事なことだ。そう、きみたちはみんな、二十一世紀に生まれた。そして、きみたちのうち少なくともほとんどが、この世紀を最後まで生きて、うまくいけば（すっかり年老いたころに）二十二世紀を垣間見ることになるだろう。

わたし自身は、二十世紀のなかごろに生まれた。つまりこの手紙は、百五十年を超える時をつなぐことになる。そして迷いなく言えるのは、この百五十年が人類の歴史にとって、ひいてはわたしたちの住むこの地球の歴史にとって、決定的な時代のひとつになるかもしれないということだ。

わたしには、きみたちに伝えたいことがある。話しておきたい、いくつかのテーマがある。生きることや、人類の文明について、そして宇宙に浮かぶこの繊細な地球について、どう考えるか。そのさまざまな視点を、わたしはきみたちに伝えたい。できれば、一つひとつのテーマについてじっくり考えながら、同時にそれらすべてを、ある程度のつながりをもったひとつの思考として示せればと思っている。途中でたびたび、きみたちに問いかけることもあるだろう。その問いのなかには、わたし自身にはもう答えを知ることができそうにないものもある。けれど、きみたちが二十一世紀の終わりごろにこの手紙を（もう一度！）読み返したなら、その問いの多くにはすでに答えが出ているはずだ。だけど、わたしに返事を書こうとはしなくていい。だってその返事は、かつてフローリアの手紙が北アフリカの司教に届かなかったように、わたしに届くことはないのだから。

自分の子孫や次の世代に向けて何かを問いかけるのは簡単だ。でも、次の世代がこちらを振り返って、その問いかけに大声で答えることは、けっしてできないんだ。

そのことを実感してもらうため、さっそくひとつ問いかけてみよう。

二十一世紀の終わり、世界はどんなふうになっているだろう？

この問いをいまのうちから（早ければ早いほどいい）投げかけておくことは、きっとむだにはならない。なぜなら、いますぐその問いに答えられる人がいなくても、二十一世紀の終わりを創るのは、いまを生きるわたしたちだからだ。「二十一世紀の終わりを創るのはわたしたち」だなんて、ずいぶんともったいぶった言い方に聞こえるかな。たしかに、これ以上ないぐらいもったいぶっていると思う。でも、言いたいことはわかってくれるだろう。そして遠い未来、きみたちは、なぜわたしがそんな言い方をしたのか、はっきり理解できるようになっているんじゃないだろうか。

いちばん下の子がこの手紙を読めるようになるには、もう少し年月がかかるだろう。だからさしあたり、わたしはおとなの孫たちに向けてこの手紙を書いている。ここでいう「おとな」とは、だいたい十六歳から十七歳ぐらいだ。つまりオーロラとレオは、これから始まる思考の旅にわたしといっしょに出かけられるぐらいの「おとな」ということになる。少なくとも、わたしの思考のほとんどをいっしょにたどれるくらいのね（それでも、ときどき聞きなれない言葉が出てきたら、インターネットで調べてみるといい。そういう難しい言葉抜きには、この旅は成り立たないんだ）。でも同時に、年を重ねて人生経験を積んでいくなかで、きみたちがこの本を何度も読み返してくれたらとも願っている。だからこの手紙は、ノアとアルバとユリアにも向けられている。それに、小さなマーニ、きみにもね。この世界へようこそ！　こうして書いていると、みんなの顔が思い浮かんでくる。

若いきみたち六人の顔を思い浮かべながら、わたしはいま、何かを伝えようとしている。六人の若き世界市民とこうして向きあって、大切なことを伝えられる——なんてすばらしい機会、なんて名誉なことなんだろう！

第1章

魔法の国

オスロ郊外の、当時はまだできたばかりのニュータウンでわたしは育った。トンセンハーゲンというところだ。三歳か四歳のころに引っ越してきて、十年くらいそこに住んでいた。この街で過ごした子ども時代の思い出のなかには、まるで暗い万華鏡の底から浮かび上がってくるような、いくつかの鮮やかな光景がある。それらはひとつに連なりながらも、同時にてんでばらばらだ。

そんな記憶のかけらのひとつを、これからきみたちに話そう。わたしにとっていちばんというくらい、鮮やかな記憶だ。

ある日の昼間――あれはたしか日曜日だったと思う――わたしはふいに衝撃とともに、この世界をいわば初めて目にした。まるで、目を開けたらそこに、おとぎ話に出てくる魔法の国が広がっていたかのようだった。鳥たちはフルートかグラスを鳴らすような美しい音色でさえずりだし、路上で遊ぶ子どもたちの姿は神々しいまでに輝いている。何もかもがメルヘンの世界のようで、奇跡に満ちていた。そして、そのただなかにわたしはいた。心震える深い神秘の内側、だれにも解けない謎に包み込まれるように。どこかべつの現実に――べつの泡のなかに、迷い込んでしまったような感覚だった。白雪姫やシンデレラ、ラプンツェル、それに赤ずきんの世界のようだ。

　魔法にかかっていたのはほんの一瞬だったけれど、あの甘い衝撃はその後も長いこと体の奥底に残りつづけた。そしてそれ以来ずっと、わたしをとらえて完全には放してくれない。

　あの数秒のあいだに、わたしは生まれて初めて、自分はいずれ死ぬのだと理解した。それはいまこの世界にいることの代償なのだと。

　自分はいま、おとぎ話のような世界のなかにいる。まるでかなうはずのない夢がかなったような、すばらしい気分だった。けれど、この世界のわたしはただの来訪者にすぎない。ここはわたしの実の家ではなかったのだ。自分はここに永遠にいられるわけじゃない。そう考えると、耐えがたい思いがした。

　わたしとこの世界を結ぶつながりは、はかなくて、ほんのつかの間しか保たれない。わたしという存在が続く、短いあいだだけしか。

この世界でわたしはひとりだった。夢を見るとき、夢のなかには自分しかいない。それと同じだ。べつのだれかが（いわば客演俳優として）夢に出てきたとしても、わたしはわたしのままだ。魂（たましい）は、隣（とな）りあって羽ばたきはしても、混じりあうことはない。眠（ねむ）りの世界におけるそんな他人との距離感（きょりかん）を、起きているときにも感じることは多々あった。それでもわたしは、どうしても自分のあの体験をだれかに語らなくてはと思った。といっても、友だちに話すのはやめておいた。だって、彼らにどう伝えたらいいんだ？

あのころ、学校の行き帰りに友だちどうしでしゃべっていたことといえば、ユーリ・ガガーリンのことや（彼は宇宙に行ったんだ！）、ビャルケにある競馬場の馬のこと、オーストリアのインスブルックで開かれていた冬季オリンピックのこと……そんなことばかりだった。放射線測定器があればウランを見つけて大金持ちになれるとか、ロールス・ロイスみたいな高級車がパンクしたら整備士がヘリコプターでかけつけてきて、その場ですぐに修理するんだとか。

自分が生きているのが「変」な気がするなんて、友だちにはとても言えなかった。十一歳か十二歳かそこらの健康な少年が、死ぬのを恐（おそ）れているなんて。そんなのは、仲間どうしの「いつもの会話」のルールに反する。おきまりのパターンにのっとったおしゃべりをくだらない話で乱すなんて、けっして許されない。そこでわたしは、学校の先生や両親に頼(たよ)ることにした。先生や父や母なら、きっと生と死について多少くわしく理解しているはずだ。だって彼らはおとななんだから！

　わたしはおとなたちに疑問を投げかけてみた。ぼくたちが生きてるのって、変じゃない？　世界が存在するって――そもそも、何かが存在するって、変じゃない？

　ところが、おとなたちは子ども以上に空っぽだった。少なくとも、当時のわたし自身よりも空っぽだと、わたしには思えた。きっと、彼らおとなはこういう疑問をとっくの昔に「卒業」していたんだろう。

　おとなたちは、まるで変なのはおまえだとでも言うように、こちらを見るばかりだった。

　どうして、シンプルに「そうだね」と言わないんだろう？「そうだね、わたしたちが生きてるって考えたら、たしかに変だ」、そう答えたっていいはずだ。それどころか、少しばかり神秘的だと認めてくれたっていい。それか、まったく常軌(じょうき)を逸(いっ)した、とんでもないことだと！　けれど、わたしの見るかぎり、彼らおとなはただひたすら、そんな問いをぶつけられたことを気まずく感じているようだった。もしかしたら、この子は次にどんな質問を思いつくのかとびくびくしていたのかもしれない。おとなたちはとたんに不安げな目になり、視線を泳がせた。それは痛烈なショックだった。だって、わたしは世界を発見したのに！

最初のうち、わたしはあれこれ考え、自信をなくし、とほうにくれた。悪いのは自分のほうなんだろうか？　自分は何かを見逃したか、うまく理解できていないんだろうか？　そう、たとえば死について。なにしろ、これについて自分に実際何がわかるだろう？

それとも、おとなたちはただたんに世界について話したくないんだろうか？

何かがあること、存在することについて！

おとなたちからすれば、この真実について何かを語るなんて、とんでもないということか。

それは一九六〇年代初めごろのことだった。全知全能の神が六日間で天と地を創造したとは、たぶんほとんどのおとながもはや信じなくなっていた時代だ。

天地創造の物語のことは、わたしもよく知っていた。小さいころに学校で習っていたし、あの壮大な物語をすべて読んでくるという宿題を出されることもあった。それどころか、翌日にその内容を覚えているかどうか抜き打ちでテストされるおそれもあったものだ。それなのに、わたしの質問に対して、このことをもちだしたおとなはいなかった。

わたしが投げかけた問いは、キリスト教の教えとはまったくべつの種類のものだった。郷土の歴史とか、地理なんかともぜんぜんちがう。あれはまさに「不適切な問い」だった。「赤ちゃんはどこから来たの？」と尋ねるのと同レベルのものだ。ちなみに、こちらの謎については、わたしはすでに答えを突き止めていた。

いつだったか、書棚に並ぶ本の後ろに隠れるように置かれていた、一冊のイラスト入りの本を見つけたことがある。それでわたしは偶然、できたての赤ちゃんが口には出せない理由によって母親のお腹のなかに宿ることを知った。それは、どうしようもないこの世の摂理だ。ただし、その営みについて子どもたちに漏らしてはいけない。なぜなら彼らには、両親の犯した恥の重みを受け止めきれないからだ。子どもだった当時のわたしにとっても、それを受け止めることは難しかった。あの本を手にとって以来、わたしはもう二度とベビーカーを押す女の人を以前のように何気なく平静な目で見ることはできなくなっていた。

でもそれじゃあ、真っ昼間にキッチンや居間で父や母に「世界はどこから来たの？」と尋ねることは、赤ちゃんがどこから来たのかについて尋ねるよりもっと恥ずかしいことなんだろうか？

わたしはときにおとなたちを見上げて、ほとんどすがるようにたたみかけた。それじゃあ、この世界はぜんぜん変じゃないって言うの？

返ってきた答えは、ひどいものだった！「ああ、そうだよ、変じゃない」。彼らはそう請けあった。「もちろんだとも、まったく正常だよ」

それはむしろ力説するような口調だった。それにたしか、こうも付け加えられたと思う。「そんなことをあまりくよくよ考えちゃやだめだ」

そんなこと、だって？

おとなたちの言いたいことは想像がつく気がした。この世界が変じゃないかだなんて、そんなことを考えすぎていたら自分の頭のほうが変になってしまうと言いたいんだろう。

父や母や先生たちは、世界のことを——この世界のことを！——結局のところまったくふつうだと思っているようだった。少なくとも、口に出してはそう言っていた。でも、わたしにはわかる。もし嘘をついているんじゃなければ、おとなたちはまちがっているんだ。

自分が正しいことはわかっていた。わたしは、おとなになんかならないと心に決めた。

この世界をあたりまえだと受け入れてしまうようなおとなには、けっしてなるものか。

それから何年もあとになって、スティーヴン・スピルバーグ監督の映画「未知との遭遇」を観た。

この映画の原題は「Close Encounters of the Third Kind（第三種接近遭遇）」。どういう意味かというと、まず空に浮かぶＵＦＯを目撃したら、それは第一種の「遭遇」だ。異星人が宇宙から来訪したことを示す物理的な証拠を見つけることは、第二種の遭遇にあたる。そして、ラッキーにも（あるいは不運にも）異星人と直接コンタクトしたら、それが第三種遭遇だ。なるほど、すごい！

けれどその晩、映画館を出ながら、わたしは気づいた。異星人とコンタクトなんて、そんなのたいしたことじゃない。だって、わたしは第四種の遭遇を経験しているんだから。

そう、わたし自身が、謎だらけの異星人なんだ。そう思うと全身に震えが走るのがわかった。

あれ以来、幾度となくそのことを考えてきた。毎朝目覚めるたびに、わたしのベッドには「異星人」がいる。そしてそれは、わたし自身なんだ！

第2章 テントウムシ

いっぽうで、それとはまったく逆のことを、十代の後半に体験したことがある。わたしはひとり森の奥にいた。ちょうど秋が始まるころで、ナナカマドやブルーベリー、ひんやりとしたヒースの茂みのことをよく覚えている。

わたしは、森のなかで目を覚ました。ヒースの茂みのあいだで、緑色の寝袋にくるまっている。ボーイスカウトのキャンプのときに、いつも使っていたものだ。もっとも、このころにはそれももう遠い昔になっていたけれど。

いったいなぜそんなところにいたのかって？　そうだな、まあなんと言うか……わたしは、あることに悩んでいた。とてもつらくて、それで森へと逃げ込んだ。そうしていつしか、夜空の下で眠り込んでしまったんだ。

ところが目覚めたとき、頭上に空は見えなかった。濃い霧が辺りを覆うように流れていたからだ。といっても、実際は木々のこずえを覆うくらいのものだったかもしれない。わたしは夜明けの薄明（うすあ）かりのなか、森の地面を動きまわるテントウムシやクモやアリたちを眺（なが）めていた。ちっぽけなこの生き物たちは、なんて生き生きとしているんだろう！

そのとき、わたしはふいに全身全霊（ぜんしんぜんれい）で、自分は自然そのものなのだと感じた。苔（こけ）やヒースのあいだを動き回る、このちっぽけな虫たちと同じだ。やがて、さらに深い考えが頭に浮かんできた。いまわたしを取り囲む、命あるすべてのものたち。わたしもそれらをつくっているのと同じ分子でできているんだ。流れる音楽はちがっても、曲を構成する音符（おんぷ）は同じなのといっしょだ。

わたしはこの世界で、幻（まぼろし）のようなおとぎの国にほんのつかの間立ち寄っているだけだ。それでいて、このときわたしは本来あるべき正しいもののなかにいる自分を感じていた。まるで水のなかの魚や、ヒースの茂みにいるクモのように。

わたしはあるべき場所にいる、わたし本来の世界に。なぜなら、わたしはこの世界に属していて、この世界そのものだからだ。そしてそれは、いつの日かこの体が朽（く）ち果てても変わらない――。言葉では言いあらわせないほどの穏（おだ）やかな感覚が、わたしを満たした。思いがけない安らぎだった。体が休まっているとか、そういうことじゃない。なにしろ、その夜はあまり眠れていなかったのだから。ものの数秒で、わたしは自身から解き放たれ、もっと大きな、温かなものに身をゆだねていた。自分とはべつの何かに包まれ、吸い込まれていくような感覚と言ってもいい。自分と、この世に存在するすべてのものとのあいだで、魂が行き来するような感覚。アイデンティティの行き来――いや、それともあれは、回帰と表現したほうがいいだろうか。そう、わたしは自分の内の何かを、自然に還したんだ。

その感覚はほんの短いあいだしか続かなかったけれど、一瞬ではなく、わたしが辺りを見回せるくらいの時間はたしかに続いていた。そのあいだに、わたしは寝床にしていた空き地の端に立つシラカバの木々を見やった。あの白い木の幹は、わたしの一部だ。そしてまた、わたし自身でもある。さらにわたしは、森の地面を動き回るちっぽけな生き物たちとのあいだに遠い同族のようなつながりを感じていた。テントウムシとわたしのあいだにある、かすかなつながり。それは、どれくらい深く掘り下げるかによって、見えたり見えなかったりするんだ。

あのほんの短いあいだに、わたしは自分とそれを取り巻く自然のなかの、より深い層に触れていた。何年もあとになって、わたしはこの深い層のことを心のなかで「根源」と呼ぶようになる。

そうしているうちに、わたしはもとどおり寝袋にくるまって横になっていた。わたしという個の存在にすっと戻ってきたのだ。

気づけば、すごく寒い。体はすっかり冷えきっていた。

さて、それで結局どういうことなんだろう？　あの朝わたしが体験したことは、ただの錯覚だったんだろうか？　ヒースの茂みのなかで眠っているあいだに夢でも見て、それに何かしら影響されたのか？　それとも、あれはほんとうに、わたし自身や世界について何かを示していたんだろうか？

人間はじつにいろいろなことを体験するものだ。神の存在を間近に感じたという人もいれば、神や亡くなった祖先が話しかけてきたという人もいる。もっともわたし自身は、そういった経験はもちあわせていないけれど。

でも、どんなに厳しい目で振り返ってみても、あれはきっと、たしかな感覚だった。あの日森のなかで感じた、すべてとひとつになるという――もっとシンプルに言えば、ただそこに在るという解き放たれた感覚。そして、子どものころにたしかに感じた「自分とこの世界とのつながりははかない」という息の詰まるような感覚。無理がある（あるいは不自然だ）と言うのなら、どっちもどっちじゃないか。

わたしはその後も長いこと、この手の現象についてくり返し考えつづけることになる。

あの森のなかで、わたしはまったくの受け身だった。急にひゅっとべつの意識状態に飛ばされたかと思ったら、またひゅっともとに戻って――そうして気づけば、もうすべてが終わっていた。

でも、あとから思い返しているうちに、こんな考えが浮かんできた。あの意識の行き来は、もっと自分の意志で、こちら側から働きかける形でも起こせるんじゃないか。いつだってその気になれば、わたしはもっと大きな帆を広げて、ふだん「自分」や「自分に属するもの」だと考えているもの以上の何かになれるんじゃないか。毎回ほんの一瞬かもしれないけれど、そんな解き放たれたような意識の飛躍を引き起こせるんじゃないか――。

わたしは自然のなかにいるだけじゃない。自然そのものなんだ。

第3章

心を読む男

そういうわけで、わたしは完全におとなになりきる前に、ふたつの強烈な、けれど正反対の感覚を体験した。ひとつめは、自分はおとぎの国のような美しい世界をほんのつかの間訪れているにすぎないという、ほろ苦い感覚。それからふたつめは、その数年後に体験した、自分個人よりもっと大きくて永続的なものとひとつになる感覚。

似たような感覚は、その後もくり返し訪れては去っていった。でも、もしあえて言うなら――いまのわたしは、そのどちらの感覚で生きているだろう？　難しい問いだ。どちらも少しずつ？　いや、どちらもたくさん、かもしれない。

この世を去ったあとに流れるであろう長い年月に比べて、人の一生はとても短い。命にかぎりない価値があるのなら、わたしたち個人の存在が失われることもまた、取り返しのつかない大きな損失だ。そのことを考えるだけで、心が鉛（なまり）のように重たくなる。まるで深い水底に引きずり込まれるように、何か重いものが沈（しず）んでいくようだ。

けれど、わたしたちは自分という個の存在だけにとどまらない。あらゆる人が人類全体を、そしてわたしたちが生きるこの地球を代表しているんだ。

すると、こんな問いが浮かんでくる。じゃあ、人類はこの先どんな道をたどるんだろう？　わたしたちの地球は、これからどうなるんだろう？

でも、この問いについては、もう少しあとでまた考えることにしよう。わたしたち個々の存在を結びつけ、ひとつにするものは何か、わたしはそれを示したいと思っている。そのために、こうして書いているんだ。

わたしは昔から森を散歩するのが好きだった。とくに、考えごとがあるときはよく森を歩いた。忙しいときなどは、途中で切り上げて家に戻ってしまうこともある。歩いているうちに問題が解決してしまうことがあるからだ。

散歩中、わたしはよく森の木々のあいだで立ち止まって、地面にできたアリ塚をわれを忘れたようにじっと見つめた。アリの群れのうちの一匹にねらいを絞って目で追おうとするのだが、これがかなり難しい。選んだアリはあっちへこっちへとすばやく動き回るものだから、どうしても群れにまぎれてどこかにいってしまう。そうしたら、またべつの一匹を選んで、最初からやりなおしだ。こうすれば、いつまでだって観察を続けられる。

逆のことも試してみた。つまり、アリ一匹一匹ではなくて、アリ塚全体を見ることに全神経を集中するんだ。ところが、これもまたとんでもない難題であることがわかった。ひとつのアリ塚にはおびただしい数の小さなアリの個体がいて、おたがいに複雑に関わりあっている。そんなエネルギーあふれる小さな生き物たちを無視するなんて、ほとんど視覚を欺いているに等しい。

じゃあ、あいだをとって、こう考えてみたらどうだろう？　個々のアリは、多細胞の生体を構成する一つひとつの生きた細胞なのだと。でも、これも少しちがう気がする。なぜなら、厳密に言えば、アリたちはひとつのつながった生体を形づくる細胞ではなく、まったく別個の存在だからだ（それだけではないけれど、少なくともひとつの分け方としてはそうだ）。アリ塚を離れるアリもいれば、その途中で道に迷って帰れなくなるアリだっている。

アリ塚は考えられないくらいみごとに組織化されているようにみえる。わたしは不思議に思った。この小さな生き物たちは、いったいどうやっておたがいや自分の属するアリ塚とコミュニケーションをとっているんだろう？　アリ塚は彼らの中枢だ。アリたちはこの中枢を出たり入ったりしている。

そんなアリ塚とアリたちのようすは、都市とそこに暮らす人びと、もっと言えばこの世界に生きる人類のイメージにすんなりと置き換(か)えられる。

　わたしたち人間は、たがいに完全に切り離されたまったく別個の存在なんだろうか？　それとも、そこには多かれ少なかれ、何かしら隠れたつながりがあるんだろうか？


　そのときも、わたしはいつものように森を歩いていた。高い木々に囲まれた細い小道をたどりながら、水音を立てて流れる小川に沿って進む。小道は、緑の生(お)い茂る谷のあいだを抜けるように続いていた。ゆるやかな丘(おか)になっていて、初めて来る場所だ。新しい場所を訪れると、まったく新しい考えが浮かんできたりするものだ。わたしは、ひたすら歩みを進めながら考えていた。自分はいま、考えているぞ、と。そもそもなぜ、そんなことが——つまり、考えるなんてことが可能なんだろう？　わたしの頭のなかで神経細胞と神経細胞のあいだに火花を散らせているものの正体は、いったい何だ？　神経細胞は、一千億個もあって……

　そのとき、ひとりの男が後ろからやってきて、わたしの横に並んだ。背の高い、とてもたくましい体つきの男だ。男は首をかしげるようにして、探るような目でこちらを見下ろした。そして、ちょうどいましがたわたしが考えていたことへのコメントとしか思えない言葉を発したのだ。

「そういえば、天の川にも一千億以上の星がある」、彼はそう言った。

わたしはぎょっとして、深い青色をしたふたつの瞳を見上げた。すると、背の高い男はふたたび探るような目でこちらを見た。いや、実際はどうかわからないが、そんな気がした。

「もっとも、『天の川』というのも、宇宙にある一千億以上の銀河のうちのひとつを、この地の人びとがそう呼んでいるだけだがね」

男は小さくうなずいてみせると、大股でわたしを抜き去って木々のあいだに消えていった。

わたしは呆然と立ちつくしていた。まちがいない。わたしはいま生まれて初めて、他人の心を読める人間に出会ったのだ。あの見知らぬ男はきっと、こう伝えるためだけに話しかけてきた。わたしはいま、きみのなかにいる。きみの頭のなかにいるんだ、と。

そのことを不安には感じなかった。むしろ、よかったと思った。とてつもなく強い喜びの感情がわたしを包んだ。

それは、すべてを変えるきっかけだった。わたしは新しい時代の入り口に立っていた。思考と感覚の新たな時代の入り口に。

わたしはいわば、自分が血と肉だけでできているのではなく、同時に何かべつの、もっと大きなものの一部であることに気づいたんだ。そう、魂の共同体の一部なのだと。なんて誇らしい喜びだろう！

あのほんの数秒を、わたしはきっと生涯忘れないだろう。ほんとうに幸せだった！

ところが次の瞬間、わたしはベッドの上ではっと目を覚ました。そう、あの謎の男との出会いは、すべて夢だったんだ。

ただひとつ、あの男がたしかにわたしの頭のなかにいたという、その事実を除いては。

わたしは寝転がったまま、天井のでこぼこを見つめていた。うっとりと心をたかぶらせながら、でも同時にがっかりして、幻滅を感じてもいた。

わたしの頭はまるでブラックホールだ。何を考えても、それらは自らの重力に引っぱられて穴の底へと吸い戻されてしまう。脳という境界を越えて外に逃れ出ることはできない。たとえ夢で見たものだって、それは同じだ。

思考は魂のように自由に羽ばたくことはできないのだと、わたしは思った。この世界は、そういうふうにはできていないんだ。

*

さて、レオ、オーロラ、ノア、アルバ、ユリア、マーニ、愛するみんな。もしかしたら、わたしはきみたちをがっかりさせてしまったかもしれないね。なにしろ心を読む男の話は、ほんとうはただの夢だったんだから。でもじつを言うと、悪いことをしたとは思っていない。なぜなら、わたしは自分が体験したことを、体験したとおりにそのまま描写しただけだからだ。

　夢のなかのわたしは、森の小道で背の高い男と出会った。その男はまるでこちらの心を読んだかのように、わたしがそのとき考えていたことに口をはさんできた。でもそれは、最初に思ったほどすごいことではなかった。なぜならふたつの魂の出会いは、夢のなかのできごとだったからだ。わたし自身の夢のなかの。そこでは、背の高い男はただの客演俳優にすぎない。

　結局のところ、男がわたしの心を読んだんじゃない。わたしが、彼の心を読んだんだ。わたしは自分でも知らないままに、演出家として夢のなかのお芝居をつくり上げていた。そのお芝居のなかで、「心を読む男」に自分の心を読ませた。でもそれは結局、自分で自分の心を読むようなもので、つまりわたしは自分自身をだましたことになる。あの夢の男とわたしは別べつのふたりではない。そう見えたのは、ベールに包まれたぼんやりとした夢の世界のなかでだけだ。

でも、こんなつまらない説明でがっかりすることはない。人間の――天の川銀河の渦(うず)をなす星のひとつに生きるわたしたち人間の意識が、この宇宙でいちばんの神秘であることに変わりはないのだから。そう、人間の脳には、天の川銀河の星と同じくらいたくさんの神経細胞が存在するんだ。

いちおう言っておくと、わたしはもう長いこと生きてきて、たくさんの人と出会ってきたけれど、夢の世界以外でいわゆるテレパシーのようなものを経験したことはないと思う。

たとえば電車や飛行機に乗っているとき、「あなたはいまこんなことを考えていたでしょう」なんてほかの乗客に声をかけられたこともない（想像してみてほしい。こちらの考えていることがつつぬけの相手と長時間いっしょにいるなんて、ぞっとする話じゃないか！）。

それに、わたしが地球の反対側にいるあいだに、母国のノルウェーで家族や国全体に大変なことが起こったことも何度かあるけれど、わたしはそのことをテレパシーで感じ取ったりはしなかった。

さらに言えば、わたしはきみたちのおばあちゃんともう五十年近くいっしょにいて、食卓やベッドをともにしている。こちらが何か考え込んでいると、おばあちゃんはすぐにそれに気づく。場合によっては、その中身が楽しいことか、悲しいことかもね。けれど、わたしが何を考えているかをはっきりと「読み取られた」ことは一度もない。それにわたしの知るかぎり、ふたりいっしょに同じ夢を見たこともないはずだ。だいたい、もし人の思考を読むことが可能なら、試験でテレパシーを使ってカンニングだってできるわけで、試験監督はこれをどう取り締まれというんだろう？「試験中はすべてのテレパシー能力をオフにすること」なんて規則は聞いたことがない。

けれど、ここで強調しておきたいことがある。テレパシーは必ずしも基本的な自然法則に反することなく、実際に起こりうる現象でありえたかもしれないということだ。もし、自然界がいまとはほんの少しだけちがっていて、人間の——少なくとも一部の人間の脳にラジオ放送局のような機能が（ごく近しい間柄でしか働かないとはいえ）備わっていたとしたらどうだろう？ それは必ずしも科学的な前提条件を覆すことにも、自然科学の考える世界観と矛盾することにもならない。そういったテレパシー的な現象はきっとただたんにくわしく観察され、徹底的に研究されたすえに、自然現象のひとつとして受け入れられていただろう。コウモリが超音波の反響によって周りの環境を把握したり、渡り鳥が特殊な方向感覚で迷わずに目的地にたどり着けたりするのと同じだ。人間と動物の感覚器官だけにかぎってみても、そういった自然の驚異は想像もつかないほどたくさんある。

それに、もし家族のだれかの思考を（遠くにいても、近くにいても）読むことができる能力があったなら、それはきっと生存上の大きなアドバンテージになるだろう。たとえば危険な状況に陥って、思考の力で直接相手の心に呼びかけるくらいしか意志疎通の方法がないなんてとき、この能力はとびきり有用だ。「集中してよく聞きなさい、息子よ。いまから生き残る確率がいちばん高い方法をテレパシーでおまえに伝えよう」といった感じだ。

こういったテレパシー能力を備えた生物が進化のうえで有利な地位を手にするであろうことは、想像するにかたくない。したがって、この能力は遺伝しやすくなる。ある集団のなかでひとたびこの能力をもった個体が現れたら、その力をもたない個体は生き残ることが難しくなり、どんどん少なくなっていくはずだ。

けれど、二十世紀を通じてつぶさに研究しつくされた結果、テレパシーという現象は実在しないものとみなさざるをえなくなった。なにしろ、テレパシーの存在を立証する具体的な証拠はひとつも見つかっていない。それで、いまではこの理論は科学的にすっかり過去のものと考えられている。といっても、マジシャンやジョーク好きの家族どうしのあいだでは、いまも変わらず「心を読む」ことがさかんに行われているけれど。

当然だけれど軍の諜報機関だって、この能力については徹底的に研究してきた。けれど結果は残念なものだった。だいたい、もしテレパシーが科学的に立証されていたら、世界じゅうの脳科学者がこぞってこの研究に取り組んでいるはずだ。でもいまのところ、人間のテレパシー能力を実証したことでノーベル賞を授与された人は、物理学界にも医学界にもいない。

とはいえ、まだ最終的な決着がついたわけじゃない。テレパシーがものすごくまれではあっても実際に起こりうる現象だという可能性は、ゼロではないからだ。証明できないからといって、それが存在しないということにはならない。

想像もつかないくらいありえないことを指す言葉として、「黒い白鳥」という表現がある。というのも、白鳥というのはどれも必ず白いものだと、昔は信じられていた。だがそれも、十七世紀末にヨーロッパ人の探検隊がオーストラリアで黒い白鳥に出くわすまでの話だったんだ。

第4章 わたしの祖父

子どものころ、数年ほどマジックに夢中になっていた時期がある。その興味はもしかしたら、わたしの祖父、つまりきみたちのひいひいおじいちゃんから受け継いだところがあるのかもしれない。祖父はわたしが八歳にもならないうちに亡くなった。自分がこの世を去ってから六十年以上もあとになって、孫であるわたしがさらにその孫たちに宛ててこうして手紙を書くことになるなんて、祖父は当然ながら知る由もなかっただろう。いや、どうだろう、あるいはぼんやりと想像はしていたのかもしれない。時が流れ、自分に遠い子孫ができることを。自分の時が過ぎ去ったずっとずっとあとに、その子孫たちがこの世界に生きることを。その子孫というのが、レオ、オーロラ、ノア、アルバ、ユリア、マーニ、きみたちというわけだ！

　わたしの祖父は、何もないところからコインを取りだしてみせる名人だった。空中にぱっと出現させたり、見ている人の耳のなかからひょいと引っぱりだしたり。それに、その逆だってできた。つまり、出てきたコインをまたぱっと消してしまうんだ。

そうして、ふたたびどこかから出現させる。ひとしきり技を見せ終えると、祖父はきまって孫たちにそのコインをくれたものだった。

そういうわけで、祖父の家に行くことには二重の楽しみがあった。あっと驚くような魔法の技を見せてもらえるし、そのあとには孫たちみんなが一クローネ硬貨を一枚ずつもらえるからだ。一クローネというのは、当時はけっこうな額だった。昔は一オーレという硬貨があって、一クローネにはこのちっぽけな一オーレ硬貨百枚分の価値があったんだ。薄茶色の一オーレ硬貨百枚を銀行に持っていけば、ぴかぴか光る一クローネ硬貨に交換してもらえた。もちろん、その逆もしかり。銀行の窓口の人たちがどちらをよりめんどうに思っていたかは知らないけれど、とにかく銀行というのは同じ価値をもつ硬貨を、どちらからどちらかを問わず交換する決まりになっている。

祖父のクローネ硬貨は、ふつうの硬貨とはちがっていた。魔法で出した、つまりはただで手に入るクローネ硬貨だ。魔術を行うという労力以外にはなんのコストも支払うことなく、ほかのクローネ硬貨とまったく同じ購買力をもった硬貨が手に入る。まるでいまで言う仮想通貨みたいだ。

祖父がマジックを見せてくれるのはきまって日曜日だったけれど、もちろん毎週というわけじゃない。祖父は時計職人で、ヘグデハウ通りのはずれに自分の店を構えていた。奥のほうには工房も備えた立派な時計店だ。店のあった場所はいまではおしゃれなブティックになっているけれど、店先にかかっていた大きな時計はいまもそのまま残っている。

わたしたち孫はときには工房で、腕時計のぜんまい仕掛けを見せてもらえた。しかも、動いているところをだ！　こまごまとしたぜんまいや歯車が絶えず動きつづけるそのようすは、小さな虫たちのようでもあり、なんともつかない生き物の群れがうごめくようでもあった。ちっぽけな時計仕掛けをのぞき見ると、宇宙で最大の謎のひとつをひっそりと明かされるような心地がした。そして、わたしの祖父は、そのすべてをつかさどる偉大なマイスターなんだ。

とくに楽しかったのは、区切りのいい時間をめざして――できれば十二時がいい――時計店を訪れることだった。というのも、店と倉庫のなかのありとあらゆる壁時計がいっせいに鳴りはじめるからだ。鳩時計の鳩たちもみんな巣から頭を突きだして、声をそろえて高らかに「クックー」と合唱しだす。もっとも、すべての時計がつねに完璧にそろうわけじゃない。ときにはほかの時計が盛大なオーケストラを奏でだすより数秒早く鳴りだす時計もあれば、ちょっとのあいだためらってから周りに加わる時計もある。このちょっとした不ぞろいさが、たぶんもっともすてきなところだった。壁時計のひとつが唐突に十二回時を打ったあと、ほかの時計があとに続かないものだから辺りがしーんと静まり返ると、わたしたちは大笑いしたものだ。周りの時計がとっくに鳴り終えたあとに出遅れた壁時計が勢いよく鳴りだすのにも、やっぱり笑った。祖父は一部始終をじっくり見ていた。きっと、孫たちが店から帰ったらすぐに店内をぐるりと一周して、たぶん午後には毎日欠かさずそうしているように、ずれた時計を合わせて回るんだろう。わたしはよくそう想像したものだ。

　祖父についてはもうひとつ、大事なことを書いておかなくちゃいけない。わたしは自分がおとなになってから、よくそのことを思い返すようになった。祖父の家の居間には一枚の絵が飾られていた。街の風景を描いた、額縁入りの絵だ。絵のなかほどには教会の塔が立っていて、塔にはもちろん鐘が描かれている。ところが塔のてっぺんの時計は、絵ではなくて本物の時計だった。懐中時計よりも少し大きいくらいの小ぶりの時計がはめ込まれていたんだ。つまりこの絵は（それはピアノの上に掛かっていたんだが）、アートであると同時に実用の時計でもあったわけだ。あの絵のなかには、すべてがあった――祖父にとって大切なもののすべてが。街、教会、そして時計。

　自分でもときどき思うのだが、わたしの書いた本のいくつか（たとえば、『カードミステリー』や『アドヴェント・カレンダー』など）は、物語のなかにまたべつの物語が入れ込まれている。まるで入れ子式のからくり箱のように、あるいは世界のなかにいくつもの世界があるように。もしかしたらその源となったのは、祖父の家の居間のピアノの上に掛かっていたあの絵なんじゃないだろうか。それに、工房で手入れされる時計を通じて、時計の内側に広がる謎に満ちた世界をのぞき見ることができたのも、きっと影響しているはずだ。

　さらに、とりわけ書いておきたいのは、祖父のコインマジックがわたしを小さなマジシャンへと成長させるきっかけになったということだ。「手先が器用」なんてひとことで言ってしまうけれど、祖父のマジックの技術は当然ながら、時計職人としての長年の経験から培われたものだ。それは、祖父の手に宿っていた。もしだれかに対してこういう言い方ができるなら、わたしの祖父はまさに魔法の手の持ち主だったと言えるだろう。

　祖父が亡くなってから数年後、わたしはマジックへの情熱に導かれて長いこと特訓を重ねたすえに、ついに両親やきょうだいたちの前で自身初のマジックショーを開催することができた。本で読んだり他人の実演を見たりして覚えたマジックのなかから選りすぐりのものをいくつか、それに自分で考えてつくり上げた凝った演目も少しばかり披露した。やがて、「エゲーロ」というオスロの街でいちばんのマジックショップに出入りするようになるころには、わたしのマジックへの情熱は新たな次元へと足を踏み入れていた。

このころには、「魔術」というのがただひたすら巧みな手技によるもので、ようはまやかしだということが、わたしにも当然わかっていた。きれいな言葉で言うならば、幻想だ。それでもプロのマジシャンによる舞台を観ていると（たとえば学校のクリスマス祭なんかでも、そういう機会があった）、ただのトリックだなんて信じられないと思うこともしばしばだった。そして、それが大事なところでもあるんだ。自分は超自然的な何かを体験したのだとあえて信じてだまされることが、マジックでは求められるのだから！

第5章 超心理学

マジックに対するわたしの子どもらしい興味が、超心理学への少なくとも同じくらい強い興味にとって代わられたのは、たしか十三歳のころだったと思う。「超心理学」というのは、テレパシー、予知、それに透視といった現象をあつかう学問だ。テレパシーについては、以前にもう触れたね。予知能力というのは、未来のことをあらかじめ知る力のことだ。そして千里眼とも呼ばれる透視能力は、たとえば本来は知ることができないはずの事柄を知ることができる能力だ。「千里眼的な」と言ったら、そういった隠された事柄に関する知識を頭のなかに呼び起こす力のことを指す。

これら三つの能力は――もしそんな能力がほんとうにあるのなら――どれも「ESP」という上位カテゴリーに分類される。このESPについては、わたしが子どもだった当時さかんに研究されていて、何冊か本も出ていた。ESPとは「Extra-Sensory Perception（超感覚的知覚）」の頭文字をとった略語だ。でも、もとが外国語の言葉をそのまま使うとむだに話が難しくなるから、ここでは「ふつうの感覚を超えて何かを知覚する能力」くらいに考えておくといいだろう。

ここで浮かんでくるのが、感覚器官を介さずに何かを（たとえば、未来に起こるできごとを）知るなんてことがほんとうにありうるのか、という疑問だ（ちなみに、天気予報とかそういった科学的な予測はまたべつの話だ）。

もし仮に未来について知ることができるとしたら、それは必然的に「感覚を超えた」ものになる。なぜなら、時間はひとつの方向にしか流れないからだ。なぜそうなるのかは物理学の世界でも完全には説明できていないのだけれど、とにかく時間は前にしか進まない。物理学上のどんなに微細な粒子だって、一秒のほんの何万分の一ですら時間を逆行することはできない。光も同じだ。

さて、テレパシー、予知能力、透視能力という三つに加えて、超心理学ではサイコキネシス、つまり念力という能力もあつかっている。これは、精神や念の力によって物理的事象に影響を与える能力のことだ。

サイコロを使ったゲームをするとき、自分のねらっている目が出るようにサイコロに念じたことがある人は多いだろう。たとえば、六が出ますように、というようにね（「ヤッツィー」だったら、五つのサイコロぜんぶが六の目になったら最高だ！）。もしほんとうにそういうことができたとしたら、それもサイコキネシスの一種ということになる。

では、なぜこういった超心理学を信じてはいけないんだろう？　そういう力があるんじゃないかと希望をもってはいけないんだろうか？

超心理学の歴史はその始まりから、ある願いとともにあった。それは、わたしたち人間には人としての核のようなもの、いわば自由な「魂」や「精神」があって、それは身体上の死を超えて生きつづけるのだということを立証したい、あるいは少なくとも、その可能性を示したい、という願いだ。

前世紀の前半には、ふたつの世界大戦が起こっている。とてつもなく多くの命が失われ、それよりもっと多くの人が愛する人を失った。このことが、超心理学への強い関心につながったとも考えられるだろう。そして、「自分はこの世界をほんのつかの間訪れているにすぎない」と打ちのめされていたわたし自身にとっても、超心理学をめぐる探究は心に訴えかけるものがあった。

わたしが超心理学にのめり込んだころ、学問の世界はまだこういった超常現象に対してある程度オープンだった。ノルウェーではハーラル・K・シェルデルップが一九六一年に『隠された人（*Det skjulte menneske*）』という超心理学現象に関する本を出版している。彼は権威ある著書『心理学入門（*Innføring i psykologi*）』を書いた人物でもあった。この『心理学入門』はノルウェーの大学であらゆる勉学の入り口となる必修の哲学入門コースにおいて、課題図書リストに必ず入っていた一冊だ。

　ところが、現在ではすっかり事情が変わってしまった。何を信じるかは個人の勝手だが、超心理学的現象を科学的に立証するのは不可能だという考えが、学術機関の内部ではほぼ常識となっている。

「感覚を超えた」不思議な現象を体験したという人の逸話は（とりわけ大衆文化のなかでは）あいかわらず花盛りだが、学術的な場面ではすっかりお目にかからなくなった。このたぐいの話はもっぱら人間の願いを込めた夢のようなものだ。わたし自身、そういった事柄を信じることはもうずいぶん前にやめてしまったけれど、「超常現象」について読むのはいまでも変わらず大好きだ。

　いっぽう、超心理学を擁護する信者のような人たちは、よくこんなふうに反論する。「こうした現象は自然発生的に、あるいは通常の因果関係によらない形で生じるものだから、科学的な方法では証明もできなければ反証もできない」とね。

　というわけで、ここまでは超心理学をめぐる現状を説明して、超能力というものがほんとうにあるのかについて批判的な目で見てきた。ここからは、ある映画のワンシーンを楽しんでみよう。この映画がサイコスリラーなのかギャング映画なのか、わたしにもくわしいところはよくわからない。ひょっとしたら、その両方かもしれない。どちらにしても、いわゆるB級映画というやつなのはたしかだ。

上品に着飾った一組の男女が、高級カジノへと続く大理石の階段を上っていく。男はタキシード姿で、胸ポケットには白いシルクのポケットチーフ。女は黒のスパンコールを散らした真っ赤なドレスに、首もとと手首には黒く光るジュエリーという装いだ。

カジノの入り口前まで来たふたりは、扉の脇の柱に掛けられた縁付きの小さなプレートに目をやる。そこには、こう書かれている。「透視能力をおもちのお客様は、当カジノへの出入りはご遠慮ください」

カメラが女の表情をとらえる。彼女は連れの男に（ひょっとしたら、カメラに向かっても）ウインクしてみせ、赤いくちびるにちらりといたずらっぽい笑みを浮かべる。男は意を決したようにうなずき返すと、くゆらせていたタバコを砂の入った大きな灰皿に押しつけた。

ふたりは――彼らがヒーローか悪者かはまだわからない――天井まである鏡がしつらえられた広びろとしたクロークに案内された。どうやら、ホール内にふたりを知る人間はいないようだ。給仕がやってきて、ピカピカの銀の盆に載せたシャンパンのグラスを勧める。

そこから映画は、ふたりがルーレットで大勝ちするシーンを次つぎと映しだす。カジノの胴元にとっては不安の募る展開だ。ルーレット台にチップを置く女の賭けっぷりは大胆だ。ときにはチップの山すべてを〇から三十六までの数字のたったひとつに全賭けして、次つぎ勝ちを重ねていく。まるで、ルーレット盤に投げ入れられた球がどこで止まるのか、事前に知っているかのように。

はたして、彼女は何か特殊な力を駆使しているんだろうか？　じつは高度な予知能力の使い手で、数秒先にルーレットの球がどこに止まるかをあらかじめ知っているのか？　それとも、念力を使って球の動きを操作した——？

この先の展開として、考えられるのは次のふたつだ。ひとつは、この不思議な現象には納得のいく理由があったという展開。たとえば女とカジノの胴元側がじつはグルで、裏で巧みに協力しあっていた、といった感じだ。ようするに、いんちきというわけ。ある意味、よくできたマジックと同じだ。そうでなければ、残る可能性はひとつしかない。つまり……この映画は最初から、ただのコメディだったということだ。

そもそもシーン冒頭からして、あやしさ満載じゃないか。「透視能力のある方はお断り」なんてていねいな注意書きを入り口に掲げたカジノなんか、世界のどこを見渡したって存在しない。なぜって、そんなことを求める必要はそもそもないからだ。

第6章

超常現象

隠された神秘的な力や超自然的な現象を指すいわゆる「オカルト」は、その大部分が超心理学とはまたちがう枠組みに属している。

たとえば、世のなかにはずっと昔から、ある人が生まれた瞬間に空に浮かんでいた天体の位置関係が、その人の人生や運命について何かを物語っているという考えが息づいている。この考え——つまり占星術は、いまも変わらず人びとのあいだで健在だ。ただし、これはオカルト全般に関して言えることなんだが、占星術において信じる気持ちとパーティーゲーム、そして娯楽との境界線はあいまいだ。

占いというのはたいてい、本質的にあいまいかつ解釈不可能なものを読み解くものだ。たとえば、夜空に浮かぶ星ぼしの位置や、鳥の飛び方、手相、カップの底に残ったコーヒーの粉、トランプの札の並び順、そういったものをね。

わたし自身はマジシャンとしての腕を上げはじめた十歳か十一歳ごろを最後に、こういったことを信じるのはやめてしまった。けれど、いまでも病院の待合室でたいくつすると、雑誌に載っている週間占いをついつい熟読してしまう。

わたしと同世代の人の多くは、まれに起こるびっくりするような偶然に、超自然的な力の存在を示す最後の希望を見いだす。これは「偶然の一致」、あるいは「共時性(シンクロニシティ)」と呼ばれるものだ。

共時性という概念は、スイスの精神科医C・G・ユングによって生みだされた。ユングの言う共時性とは、因果関係がないはずのふたつの事象が、意味があると思えるような形で同時に起こること、あるいは、因果関係はないけれど同じまたは似たような意味をもつ複数の事象が、時間的に同じタイミングで起こることを指す。

こういった驚くような偶然の一致は、きっとどんな人でも体験したことがあるだろう。そして、そういう事例を(たとえば、何かを信じたいという思いから)集めていくと、この手の偶然が実際よりも頻繁に起きているかのような気がしてくる。当たった宝くじしか見えていないようなものだね。

著作家で科学哲学者でもあったアーサー・ケストラーは、有名な著作『偶然の本質』のなかで超心理学と共時性について書いている。ケストラーは、多くの人が超常現象ととらえるものを、新たな学問である量子物理学と結びつけようと試みた。原子物理学やこの世界をいわば怪奇現象のようなものとして示すことで、従来の科学の枠を越えて超常現象に説明をつけようとしたんだ。だが、こういうアプローチもいまではほぼ時代遅れとみなされるようになった。原子物理学に「超感覚的知覚」を裏づけるような要素はひとつもないんだ。

もうひとつ、たぶん人類の歴史と同じくらい古くからある超常現象に、超自然的な存在が人びとの前に「現れる」、あるいは「目に見える形に実体化する」というものがある。超自然的な存在というのは、たとえば亡くなった人の魂だったり、神だったり、天使や、妖精や、トロールといったものたちだ。十九世紀以降、死者とコンタクトすることは可能だという考えは、とくにスピリチュアリズム（心霊主義）を信じる人びとのあいだで広まっていった。

彼らの行う交霊会はたいてい、霊媒と呼ばれる人の力を借りて、死者の魂と交信しようというものだ。いっぽうで、こういった交霊会とは関係なく、死んだはずの人や別世界の超自然的存在がふいに現れたという目撃談もたくさんある。

わたしは以前、この現象を題材に『ピレネーの城』という作品を書いたことがある。物語の主人公であるスタインとソルルンは、深い愛情で結ばれた恋人どうしだ。しかしあるとき、旅行先である衝撃的な体験をする。恐ろしくて、気味の悪い、どうにも説明のつかないできごとだ。だが、そのできごとに対するふたりの解釈は大きくちがっていた。そしてそのちがいがあまりにも大きいがゆえに、ふたりの関係はついには破綻(はたん)してしまう。

それから長い月日が過ぎ、ふたりはまさにあの不可解なできごとが起きたその場所で、ふたたび出会った（これもまた、不思議な偶然によってだ）。彼らはおたがいのもつ異なる世界観について対話を始める。そして物語の終盤(しゅうばん)、さらなる奇妙な偶然が起こる……。

わたしはこの物語のなかで、自然科学に根差したスタインの視点をソルルンのスピリチュアルな解釈よりも正しいものとして描いたつもりはない。それに実際、最後にすべてを決したのはソルルンのほうだった。

わたしがこの物語でとくに示したかったのは、人はどんな世界観を信じることだってできるということ、そして、わたしたちにはときに現実よりも少しばかり多くのものが「見えて」しまうことがある、ということだ。

この手の現象について、ある親しい友人と話をしたことがある。この友人は迷信深さとはまさに対極にあるような人なのだが、その彼女が、そういうこともないとは言い切れないいんじゃないかと言うのだ。そして、最初はあまり気乗りのしないようすで、だがしだいに確信に満ちた口ぶりで、こんな話をしてくれた。

彼女は夫と離婚したあとにしばらくつらい時期が続き、高原の山小屋で数日を過ごしていたという。ある日、窓の外に広がる草原を眺めていたときのことだ。彼女の目にはっきりと、庭を横切っていくふたつの人影が映った。片方がもう片方より少しだけ大きいけれど、どちらもとても背が低くて、まるでこびとの妖精のようだった。数秒ほど見つめていたら、人影はじきに消えてしまったという。

背丈については絶対に確かだと彼女は言った。というのも、庭には高さ一メートルほどのところに物干し用のロープがわたされていた。そしてこの小さな妖精たちは、頭をかがめもせずにロープの下を通り抜けていたのだ。

わたしは興味深くその話を聞いた。彼女の語りぶりからは、そのときの奇妙な雰囲気がありありと伝わってくるようだった。とても美しい、心打たれる物語だった。彼女はたしかに心から真実を語っている、わたしはそう確信した。

しばらくのあいだののち、わたしは自分がこう尋ねる声を聞いた。「もしそのときビデオカメラを持っていたら、それを録画できたと思うかい？」

それはスマートフォンが登場するよりもずっと前の時代のことだった。

彼女はまったく表情の読めない顔でしばらく黙り込んだ。それから、かすかに首を振って答えた。「いいえ、たぶん無理ね……」

そうして、じわじわと何かを理解しだしたようだった。

この目で見たものしか信じない、とわたしたちはよく口にする。だが、この目で見たからといって、必ずしもそれを信じる必要はない。実際に存在するかしないかにかかわらず、何かが「見える」ことはあるのだから。

幽霊を見たと言う人のすべてが、嘘をついているわけではないのだ。

わたしがずっと昔に書いた『鏡の中、神秘の国へ』という本のなかにも、やはり物語のなかの物語が出てくる。ちょうど、祖父の家のピアノの上に飾られていたあの絵のなかで、教会の塔にはめ込まれていた時計のようにね。

主人公の少女セシリエは重い病で寝たきりで、かなり確実に死に近づいている。彼女を取り巻くのは、両親と、弟のラッセ、祖父母、そして親友のマリアンネ。だが彼らのほかに、とりわけ夜に部屋でひとりでいるときに、セシリエのもとに現れるのが天使アリエルだ。

アリエルは、肉体をもった人間として生きるというのはどういうことかを知りたがる。いっぽうセシリエのほうは、アリエルから天国の秘密を聞きだしたい。こうして、天上と地上、永遠とかぎりある時間との邂逅(かいこう)が始まるのだ。

「セシリエはほんとうに天使に出会ったのでしょうか?」「作者であるあなたは、そういった現象を信じているのですか?」そんな質問をわたしは幾度となく投げかけられてきた。そして実際、これに答えるのはそう難しくない。

わたしは一度たりとも、天使の存在を信じることがこの物語の前提だと考えたことはない。天上と地上のこのたぐいまれな出会いは、最初から最後までセシリエの頭のなかだけで起こりうるんだ。そう、たとえば彼女が眠っているあいだにね。そのうえ、セシリエは強い薬を投与されていた。もっとも、薬で意識がぼんやりしていたからといって、永遠とかぎりある時間との対比は厳然としてそこにあるのだけれど。

あの本を書くうえで大事にしたことがふたつある。まずひとつは、セシリエ以外の家族にアリエルの姿をほんのちらっとでも目撃させないようにすること。そんなことをしたら、物語全体がだいなしになってしまう。そして、さらに大事なのがふたつめだ。セシリエの意識のなかで起こりえないことを天使アリエルが話したり論じたりしないよう、わたしは終始気をつける必要があった。

セシリエは、天使アリエルが自分とはべつの独立した意識をもっている、つまりは別個の存在であるという（誤った）考えを信じている。わたしが夢のなかの森の小道で、あの背の高い男と出会ったときと同じだ。あの「心を読む男」は宇宙の銀河の数について、わたしが（せいぜい）知っている以上のことは語れない。同じように、アリエルは「天国の秘密」について、セシリエがイメージできる以上のことはけっして明かせないんだ。だからセシリエがどんなに質問攻めにしても、天使からの返答はあまりかんばしくない。それはセシリエが、アリエルに答えられる以上のことを質問しているからだ。

セシリエは次つぎとめんどうな質問を天使に投げかける。そして、返ってきた答えにときに驚く。でもこのとき、セシリエは自分で自分を驚かせているんだ。

こういった空想の次元が、わたしの本にはよく出てくる。なぜなら、わたしはいつだって人間の空想の力に魅（み）せられてきたからだ。でも、どんな空想もだれかの空想なんだ。このシンプルな基本原則が、本を執筆（しっぴつ）するうえでつねにわたしの道しるべとなってきた。

物語のなかで、わたしは空想をだれか特定の人に「アース」して結びつけなければならない。そうすることではじめて、その空想は心理的、感覚的な面を得られるんだ。この結びつけがない空想は、ただの「ファンタジー」になってしまう（わたしに言わせれば、一種の「空想の空回り」だ）。そういったぼんやりとした枠組みのない文学ジャンルには、わたしはあまり興味をそそられなかった。

あの友人が高原の山小屋で庭を横切るふたりのこびとを見たという印象的な体験を話してくれたとき、わたしはどこか彼女とさらに近しくなれた気がした。あの話は、彼女の魂の一部を、個人としての何かを見せてくれたのだ。――それは同時に、わたしたち人間だれもに共通する何かだ。

空想というのは、たぶん香水に似ている。わたしがある香水の香りを気に入るとしたら、それはその香りが命ある人間の肌から立ち上っているときだけだ。同じように、わたしが空想的な物語に感銘を受けるとしたら、そこには必ず個人としての人の匂いが感じられなければいけない。

よく女性が自分にぴったりの香水を見つけたと言ったり、それを「自分の」香りだと言ったりするのも、きっとそういう理由からだろう。だから香水業界では、客の手首に香りをつけて製品をテストするのだ。

人の肌を介さずに「ボトルから直接」漂ってくる香水単独の強い香りには、どうにも気分が悪くなってしまう。

奇跡や超自然的なものが天啓として現れるという逸話は、伝説や民間信仰には欠かせない要素のひとつだ。そればかりか、こういった「天啓信仰」は世界的な宗教にもよくみられるし、その宗教が深く人間的であるかのようにみせることにひと役買っている。

超自然的なものは存在するのか？　このことを真剣に問いかけたいのなら（そして、そうすべきだとわたしは思っているんだが）、少し言い方を変えてこう表現してみよう。

人間ははるか昔から、超自然的な存在をさまざまな形で思い描いてきた。しかし、そういう存在が実際に姿を現したり、個人や民族に対してその真の姿を示したりしたことは、人類の歴史上たぶん一度もない。その理由はシンプルに、そんなものは存在しないからではないだろうか？

つまるところ、超自然現象にまつわるイメージすべてが、人という枠の外側ではなんの根拠もない「人間の思考」というものの産物である可能性も否定できない。もっとも、人間の内側にあるかぎり、そこには豊かな培養地が広がっている。理由はいくつかあるだろう。わたしたちのもつ豊かな想像力、なんの関係もないところにまで隠された関係性を見いだしたがる人間生来の欲求、そして何より、人生はいつの日か終わり、大いなる無に帰するのだという認識への必死の抵抗もそのひとつだ。

超自然的なものの存在を思い描くこと。それはきっと、わたしたちにつねについてまわる行為なのだろう。なぜなら、わたしたちは人間だからだ。

だからね、レオ、オーロラ、ノア、アルバ、ユリア、マーニ、愛するみんな。きみたちが人生のどこかの時点で、なんらかの形で超自然的なものを信じるようにならなかったとしたら、わたしはむしろ驚くだろう。そしてこの点に関して、わたしからきみたちに何か忠告するつもりはない(せいぜい、うらやましさゆえの軽いお小言くらいだ)。だれかの信じるものや迷信について忠告するのは、友情や恋愛や自然との深い触れあいを「やめておけ」と止めるようなものだ。こういった気持ちや感覚ほど人間らしいものはない。同じように、何かを信じる思いほど人間らしいものも、そうはないんだ。

でもいっぽうで、デンマークの牧師で賛美歌の詩作も手がけた詩人のグルントヴィは、現代にも通じるこんな言葉を残している。「まず人間であり、次にキリスト教徒なのだ」。彼が現代のデンマークに生きていたら、こうも言ったかもしれない。「まず人間であり、次にイスラム教徒なのだ」。それとも、こうかもしれない。「まず人間であり、次に無神論者なのだ」――そう、このことを心に留めておくことも重要だ。無神論者も、燃えるような熱い信念にかられて不寛容で「非人間的な」ふるまいをすることがある。まちがいを犯すことだってある。こと信じる気持ちに関しては、何が確実に正しいかなんてだれにもわからないんだ。

　だが、何を信じ、どんな意見をもっていようと、わたしたちはまず第一に人間だということを忘れてはいけない。

　さらに一歩進んで、わたしはこう言いたいと思う。「まず人間であり、最後にも人間である」と。わたしたちは身ひとつの裸の状態でこの世にやってくる。旅行用の荷物なんて何ひとつ持たずに（その人が何者かを物語る、ひとそろいの遺伝子を除いてはね）。そうして、来たときと同じように身ひとつで、何も持たずにこの世を去らなくてはならない。

　けれどわたしには、この本のなかでけっして見失いたくない本筋が――いわば、一本の糸がある。

おとぎ話のような魔法の世界をほんのつかの間訪れた、あの神々しいまでの体験は、時が流れてもわたしをとらえて離さなかった。そして、その慰めとなるような次元に何ひとつ出会えないまま、わたしは青少年時代を去ることになる。

超心理学と呼ばれるものは結局、すべてをごちゃまぜにして混乱させただけだった。超心理学にできるのは、存在しない世界の地図を示すことだけだ。いまあるこの世界の存在こそが、ただひとつの真の奇跡だというのに。

だから、わたしは新たな道を探さなくてはならなかった。そうして今度は、自然や、宇宙や、わたしたちが生きるこの地球に目を向けるようになったんだ。

第7章

地球という惑星

わたしが十六歳になった年の末、写真史上もっとも重要な一枚に数えられる、ある写真が生まれた。一九六八年のクリスマスイブ、宇宙船アポロ8号の船内から撮られた写真だ。月を周回飛行していたアポロ8号は、月の裏側をぐるりと回って出てきたところでその光景をとらえた。そうして撮影された写真には、わたしたちの住む青い惑星が誇り高く宙に輝いている。

この写真は「地球の出（Earthrise）」と呼ばれるようになるのだが、この名はじつは少々まぎらわしい。というのも、月はいつも同じ面だけを地球に向けている。だから月面から見た地球は、地球から見る月のように地平線から昇ることはないんだ。地球から見ると月は地平線から出てきてゆっくりと天高くまで移動するけれど、月から見た地球はそういうふうには動かない。青と緑の惑星は、地球の空にぽっかり浮かぶ月のように、ただ宙に浮かんでいるだけだ。

でも、ちょうど月の裏側を回って出てきたアポロ8号の船内からは、まさに「地球の出」のように、地平線から地球が昇ってきたように見えたということだ。

アポロ8号は、月を周回飛行した初の有人宇宙船だった。そして、これによって人類はその歴史上初めて、自分たちの惑星を宇宙のべつの天体の縁から直接その目で見ることになる。

このすばらしい飛行に臨んだ三人の宇宙飛行士たちは、のちにインタビューで「もっとも印象に残ったことは何か」と尋ねられた。人類として初めて月を周回し、クレーターを間近で見たこと、というのが当然予想できる回答だったろう。ところが、三人はそろってこう答えたんだ。「ただひとつ真に圧倒されたのは、荒涼とした月の大地と完璧なまでの対照をなす、青い地球の姿だった」と。

それから半世紀、あの写真が撮影されてから五十年後、三人の宇宙飛行士のうちのひとりで写真の撮影者でもあるウィリアム・アンダース（彼はのちに駐ノルウェー・アメリカ大使も務めている）はこう語っている。「わたしたちは月を探査するためにはるばるやってきた。しかしもっとも重要な発見は、地球そのものだった」

多くの人が、この「地球の出」の写真こそ、現代の環境運動の象徴にふさわしいと考えている。

さらに人類にとって記念すべき日となったのが、一九九〇年二月十四日だ。一九七七年九月に打ち上げられた惑星探査機ボイジャー1号は、木星と土星の撮影を終え、このときまさに太陽系をあとにしようとしていた。だが、アメリカの天文学者カール・セーガンの求めに応じて、機体のカメラをもう一度、後方の太陽へと振り向けた。最後に太陽系の全惑星をそろって収めた「家族写真」を撮影するためだ。もっと正確に言えば、各惑星の写真をいくつも撮って、それをのちに合成して太陽系全体を一枚の写真にまとめたんだ。

このとき撮られた写真のうちの一枚に、淡(あわ)い水色をした小さな点にしか見えない地球が写っている。それで、この写真は「ペイル・ブルー・ドット」(淡く青い点)と呼ばれるようになった。カール・セーガンはのちに執筆した自著にもこの名を冠(かん)している(邦訳名は『惑星へ』(一九九六年、朝日新聞社))。ボイジャー1号は当時もいまも、宇宙空間のもっとも遠いところに存在する人工物だ。そしてもしかしたら、今後つくられるどんな人工物もこれを追い越すことは不可能かもしれない。

ボイジャー1号は二〇一二年八月には太陽系の外に広がる星間空間に突入し、いまも天の川銀河を飛行中だ。次の新たな星に接近するまでには、およそ四万年かかる。二〇三〇年ごろには、搭載(とうさい)された最後の装置が稼働(かどう)を停止するだろう。だが、この探査機にはそうした装置以外に、「ボイジャーのゴールデンレコード」と呼ばれる金属盤が積み込まれているんだ。このデータディスクには、地球の自然や文化について伝える音や画像が収められている。それがいつの日か、いまから何千年、何百万年後に、宇宙のどこかで知的生命体に発見されて、はるか遠い昔にこの地球に存在していた生命や文明について証人のように物語る――わたしたちはそう夢見るしかない。

　ほとんど見えないくらい小さな点にしか見えない地球の写真は、六〇億キロメートル以上離れたところから撮影された。光速でもおよそ五・五時間かかる距離だ。バレンタイン・デー（ノルウェーでは「すべてのハートの日」とも呼ばれている日だ）にボイジャー1号の望遠レンズを通して撮影されたこの写真は、六四万ピクセルからなる。ところが、それだけ遠くから撮られたものだから、淡い水色の点は――すなわち、わたしたちの世界、わたしたちの地球、わたしたちの故郷は、一ピクセルにも満たない。写真のなかで地球が占めるのは、なんとたったの〇・一二ピクセルだ！

　人類は何千年も昔から遠い宇宙を探り見てきた。とくにここ数百年は、どんどん大きく高性能になっていく望遠鏡を通して。それがここにきて急に、わたしたちはその望遠鏡をくるりと自分たち自身に向けるチャンスを得たんだ。

　そうしたら、そこには宇宙のなんでもない場所にぽつんと浮かんだ、ちっぽけなちりのような地球があった。その光景は、わたしたちに謙虚になれと訴えかけてくる。自分たちが生きるこの小さなちりを、大切に慈しむようにと。

わたしはそのちりのような物体を見て思う。ああ、ここにわたしがいる、とね。見失ってしまうくらい小さなこのちりのどこかに、自分は隠れている。いや、それだけじゃない。このちりは自分だと、わたしはそう思うんだ。だって写真のなかの地球はあまりにもちっぽけで、そこに何かが隠れているなんて、とてもじゃないが想像できない。

この写真が撮影されたのは一九九〇年の冬だった。そのころ、わたしはベルゲン近くの自宅のガレージで『カードミステリー』を執筆していた。冬の夜、よく長い散歩に出ていたのをいまでも覚えている。そうして、夜空の星ぼしを見上げていた。ボイジャー1号が見えたとは言わない。それでもわたしは、遠い宇宙をじっと見つめていた……。

第8章 クロノメーター

『カードミステリー』は船の沈没事故をめぐる物語だ。もっと言うと、一七九〇年と、その五十二年後に起こったふたつの沈没事件が語られている。

というわけで、宇宙の話を続ける前に、ここで少し昔の帆船の時代に目を向けて、地球をめぐる測量と地図作製についての章をはさんでみよう。この分野でも、時計職人の技術が大きな役割を果たすことになる。わたしの祖父がその歴史をどれくらいくわしく知っていたか、できればぜひ聞いてみたかった。きっと、かなりくわしかったはずだ。というのも二十世紀の初めごろ、祖父はトンスベルグという都市で数年間時計職人として働いていたからだ。トンスベルグは当時の海運と商業を担う重要な港湾都市だった。

十七世紀から十八世紀ごろ、世界の海を行き交う大型帆船にとって、自分たちがいま地球上のどこにいるのかをつねに把握しておくことは、当然ながらきわめて重要だった。もっと短い船旅でも同じだ。たとえばスペインからイギリスまでの短い航海でも、正確に目的地にたどり着けるかどうかは船乗りたちにとって重大問題だ。めざしていたイギリスの港にきちんと到着できるか。途中で航路からそれたり、岩や浅瀬に乗り上げたりしてしまわないか。万が一そんなことが起これば、大きな災厄（さいやく）につながりかねない。実際そうした事故がしょっちゅう起こることで、貴重な積み荷はもとより、多くの船乗りたちの命が失われていた。

自分がいまいる場所の緯度（いど）、つまり南北方向の位置を測ることはそう難しくない。太陽がもっとも高く昇ったときの高度〔天体が地平線からどれだけ上に見えるかを示す角度〕か、夜なら北極星の高度を測ればいいからだ。

でも、自分がいま東西方向のどの位置にいるのか、つまり経度を知りたいときは、どうすればいいのだろう？

だれにも答えられなかったその問いに初めて名案をもたらしたのが、ジョン・フラムスティードだった。一六七五年、初代イギリス王室天文官に任命された彼は、この「経度問題」を解決するよう命じられた。この問題は当時、海洋国家イギリスにとって最大の障壁（しょうへき）だったんだ。これに取り組むためには、天文台が必要だ。そこでロンドン南東部にあるグリニッジ・パークの高台に、記録的な速さで天文台が建設された。そこは、かつてテムズ川を見下ろし、はるか遠くにロンドンを眺めることができる塔が立っていた場所だった。

海の上で経度を測ろうとしたら、どれだけ簡便にやろうとしても、まず太陽と月と星の位置をそれぞれ示した正確な星図をつくる必要がある。ただし、そのためには天文学者をつねに船に乗せていなければならないし、空に雲がかかっていてもだめだ。

では、天体を頼る以外に、海上で経度を測れる何かべつの方法はないのだろうか?

球体が三六〇度からなること、そして地球が自転するのに二十四時間かかることは、古代から知られてきた。つまり、地球は一時間で一五度動く。ということは、四分で一度だ。

すると、理論上はこういうことになる。出港した港の現地時間がわかる正確な時計と、毎日船上で太陽が真南に来たときに時刻を合わせることで太陽時を正確に示してくれる時計、このふたつを持って航海に出れば、自分が乗っている船がいま出港地から東西にどれくらい進んだ位置にいるのかを正確に割りだせる、というわけだ。

たとえば、ある時刻にイギリスのグリニッジで太陽がいちばん高い位置に昇ったとしよう(太陽が真南に来てその高度が最大になることを「南中」という)。すると、その一時間後には、グリニッジから西に一五度の地点で太陽が南中する。さらにその一時間後には、もう一五度進んだ場所で――そう、たとえば大西洋をアメリカに向かって進んでいる船の上で、太陽が南中することになる（ちなみに、ニューヨークはグリニッジから西にほぼぴったり七五度の位置にある。つまり、のちにグリニッジ標準時と呼ばれるようになる時刻と、五時間の時差があるということだ）。

だから、出港した港の現地時刻がわかる正確な航海時計さえあれば、その船の東西の位置、つまり経度は簡単に割りだせる。

ただし、ひとつだけ問題があった。それほどまでに正確な航海時計は、十七世紀当時には存在していなかったんだ。そんな夢のような時計は、この時代の人びとにとっては月を周回できる乗り物とか、宇宙に打ち上げられて太陽系のいちばん端から地球を振り返って眺められる望遠レンズと同じくらい、現実離れしたものだった。

いくつかの悲劇的な海上事故が相次いだのをきっかけに、イギリス議会は一七一四年、経度委員会を設立する。そして、誤差〇・五度以下の精度で海上で経度を測定できる方法を発明した者に、二万ポンドの報奨金（ほうしょうきん）を与えると約束したんだ。これは現在の価値でいえば何百万ポンドにも相当するたいへんな額だ。

それから何年ものあいだ、経度委員会にはありとあらゆる独創的なアイデアが寄せられた。オカルト的なものもあれば、現実的ではあるけれど実際に試してみるとどうやっても実用不可能なものもあった。

だが経度の問題に対するもっとも堅実(けんじつ)な部類のアプローチは、どれも天体の動きのつぶさな観察をベースとするものばかりだった。「正確に動く航海時計」がつくれるなどとはだれも信じていなかった。

ところが、そんななかひとり黙々(もくもく)とそういう時計の発明にいそしんでいた人物がいた。大工職人の息子であるジョン・ハリソンだ。経度委員会が設立されてからおよそ六十年後、ついにハリソンは報奨金を受け取ることになる。彼は「クロノメーター」と呼ばれる航海時計を設計したんだ。このクロノメーターはきわめて正確で、海上の悪条件下でもくるいなく動く。そのため、グリニッジの現地時刻をつねに正確に指し示すことができた。これであとは船上の現在時刻さえ確認すれば、自分たちがいま地球上のどの位置にいるかを確認できる。

時計づくりの技術を独学で身につけたハリソンは、生涯を通じてさまざまな種類の航海時計を考案しては実験を重ねた。だが、彼のアイデアそのものは一貫(いっかん)してとてもシンプルだ。グリニッジがいま何時か言ってくれ、そうしたらあなたがいまいる位置を教えよう、というわけだ。

地球のどこに子午線（経線）を引き、どうタイムゾーンを分けるのか、これについて世界の国ぐにが合意するのは、それからさらに百年以上あとのことだった。一八八四年、アメリカのワシントンで開かれた国際子午線会議で、旧グリニッジ天文台を通る線を経度〇度の本初子午線とすることが決まる。

この当時、世界は万国共通の基準時間と、明確なタイムゾーンを必要としていた。それまでの時代、社会はそれぞれがその土地の現地時間に従って生きてきた。この現地時間というのは、その地域で太陽が真南に昇ったときの時刻をもとに決められる。太陽が真南に昇ったら、そのときの時刻が正午、つまり十二時というわけだ。それ以外の時間の計り方は必要なかった。だれかと約束をするにしても相手は同じ土地の人だし、徒歩や馬や馬車で一日じゅう移動したって東西にそう遠くまでは行けない。

一日のあいだに太陽が地形上の目印のどこを通るかで時間を知る術は、世代を超えて受け継がれてきた。だが、この暗黙の了解が通用していたのも、十九世紀に鉄道が生まれるまでの話だった。この新たな移動システムの誕生によって、時間の新たな示し方が必要になったからだ。

土地それぞれの現地時間はべつにそのままでかまわない。ただ、国全体に通用する「鉄道時間」はどうしても必要だった。そうでないと、どの都市にいつ到着し、いつ出発するのか、あるいは何時にその都市を通過するのかを全国一律の時刻で示した正確な運行計画が立てられない。

さらに、電信技術や電話の発達によって、明確に区切られたタイムゾーンをともなう「万国共通の時間」を定める必要もでてきた。たとえば、ノルウェーはロンドンの東に位置していて、その時差は一時間だ。そして、ノルウェー国内ならベルゲンにいようが極北部のキルケネスにいようが、この時差は変わらない。一九〇九年に鉄道ベルゲン線が開通したときだって、クリスチャニア（現在のオスロ）からベルゲンまでの全区間が一律の時刻表で運行された。そういうわけで、「いま何時か」を正確に知ることは、実用面で有用になっていったんだ。

イギリスのジェームズ・クック船長は、一七七二年に二度めの探検航海に出た際に、ハリソンのクロノメーターの複製品を携（たずさ）えていた。この航海時計に対するクック船長の感動ぶりはかなりのものだった。

クロノメーターの助けを借りて、クック船長は世界初にして驚くほど正確な太平洋の島じまの地図を作製することに成功する。航海日誌のなかで、彼はたびたびこの時計のことを「われわれの信頼厚い友」「けっしてわれわれを見捨てることのない道案内人」と書きつづっている。

クック船長の探検航海がもたらしたのは、太平洋の島じまの地図だけではなかった。彼は第一回の航海ではタヒチにおもむき、金星の太陽面通過と呼ばれる現象を観測している（正確には一七六九年六月三日のことだ）。これは金星が太陽の前を横切るように見える、とてもまれな天体現象だ。

この時代には、太陽の周りをめぐる天体として六つの惑星が知られていた。けれど、それらを擁する太陽系がどれくらい広いのか、マイルやキロメートルであらわすとどの程度になるのかは、だれにも見当もつかなかった。

ただ、金星の太陽面通過を地球上のさまざまな地点から観測すれば、地球から太陽までの距離を算出できることは、すでに一七一六年にイギリスの天文学者エドモンド・ハレーによって発見されていた。そして太陽までの距離がわかれば、太陽系の広さを把握できる可能性はぐっと目の前に近づく。

そういうわけで、クック船長は世界で初めて太平洋諸島の地図をつくっただけでなく、太陽系の初の測量にも貢献していたんだ。

第9章

時間と空間

宇宙で自分のいまいる位置を知りたければ、ふたつのことを頭に入れておかなくてはいけない。時間と、空間だ。このふたつの次元は、切り離せないくらいたがいに強く結びついている。というのも、遠い宇宙を見やることは、過去を見ていることとイコールだからだ。

あんなに近くに見える月だって、わたしたちが見ているのは、じつはつねに数秒前の──つまりは、べつの時間に存在していた月の姿だ。太陽の光も、八分ほど「遅れて」地球に届く。それに、ボイジャー1号が撮影したあの地球の写真だって、けっしてシャッターが切られたその瞬間の光景じゃない。あれは、撮影した瞬間のおよそ五・五時間前に地球がどんな姿だったかを示したものなんだ。

太陽系の外までいくと、この遅れはもっとずっと大きなものになる。たとえば夜空の星を見上げても、その星の現在の姿はわからない。わたしたちにわかるのは、ずっと昔に（ひょっとしたら、とてつもなく遠い過去に）その星がどんな姿だったかだ。とっくの昔に崩壊してしまった星なのに、宇宙の「ニュース」がまだこちらに届いていないだけという可能性もある。そして、もし天の川銀河のさらに向こうにある銀河の光をぼんやりと感じ取ったなら、それは空間的にも時間的にも遠く離れた、はるか何百万光年も先の光景ということだ。

たとえば、同じ星座のふたつの星は、肉眼で見ればすぐ近くに隣りあって夜空に浮かんでいるように見えるだろう。でも、片方の星の光はほんの数年で地球に届き、もう片方の星の光は何千年も宇宙を旅してきたのかもしれない。

宇宙には、あらゆるところで通用する絶対的な「いま」は存在しない。わたしたちは限定的な「いまここ」で満足するしかないんだ。「いま」という概念が通用するのは、自分を取り巻くごくせまい範囲のなかだけだ。少なくとも、アインシュタインの相対性理論によればね。

宇宙には「いま」という時間上の点が、観測地点と同じ数だけ存在する。そして、これらの点すべてを結びつける「現在という平面」は存在しない。

たとえば、雪の上やヒースの茂みのあいだに寝転がって夜空を見上げることはできるね(そういうことを、わたしたちはしなさすぎだ!)。そうして寝転がったまま、夜空の星や星座を指さして、「ほら、あそこ！」とか「見て！」なんて言いながら目にしたものを言葉にすることはできる。

でも、宇宙全体がいままさにこの瞬間にどんな姿をしているかは、考えてもあまり意味がない。なぜなら、宇宙に「いまこの瞬間」なんてものはないからだ。宇宙ではあらゆるものが、つねに起こり、過ぎ去っている。しかも、光の速さで。

もっとも、わたしたちがこの時空連続体を——つまり、時間と空間からなる宇宙という広がりの全容をイメージしにくい原因は、光がのろくて届くのが遅すぎるからということだけじゃない。星どうしがたがいに対して猛スピードで動いているのも理由のひとつだ。

そのうえ、銀河どうしも爆発的な速さでたがいに離れていっている。わたしたちは膨張しつづける宇宙に生きているんだ。この膨張は、百三十八億年前に起こったビッグバン以来ずっと続いている。

*

宇宙にかぎらず日常の場面でも、時間と空間を頼りに動かなければならないことはある。たとえばだれかと会う約束をするとき、「どこで会うか」を決めておくだけではふじゅうぶんだ。「何時に会うか」もはっきり決めておかなきゃならない。こうして取り決めた時間上・空間上の座標にきちんとたどり着ければ、確実に相手に会うことができる。これがたとえば「来週のいつか、大学通りとカール・ヨハン通りの角でおたがいが現れるのを待とう」なんて約束では、そうはいかないだろう。同じように、「五月十六日の十九時三十分に、オスロで」なんて約束のしかたも、これまたふじゅうぶんだ。

これは昔からずっとそうだったし、いまだって事情は変わらない。ただ、ここ何年かで、わたしたちは人との待ち合わせにそこまで入念に準備して臨まなくてすむようになった。なぜなら、まったく新しい便利なツールが登場したからだ。その代表格はなんといっても携帯電話だろう。携帯電話のおかげで、約束を交わすことも、取り決めた場所にたどり着くことも、以前より簡単になった。おまけに、ものすごく正確な時計まで備わっている。

つい何年か前までは、約束の時間や場所を忘れてしまったとか、勘違(かんちが)いしていた、なんてことはじゅうぶんありうる話だった。そして、そういうことが何度も起これば、それは友情や恋人関係の破綻にもつながりかねなかった。

片方が約束の時間に遅れたり、通りのべつの角で待っていたりすれば、もう片方は街角に立ちっぱなしで何時間も待たされ、どんどん機嫌が悪くなっていくだろう。ほんの道一本分、あるいは十五分かそこらの「誤差」が生じるだけで、人は行きちがってしまうんだ。その誤差がメートル単位か、分単位か、どちらの種類かは時と場合によってちがうだろう。だがどちらの場合も、引き起こされる結末は同じだ。

現代のわたしたちは、携帯電話やスマートフォンを通じて、ものの数秒で約束を変更できるようになった。片方が場所や時間を勘違いしていたり、数分遅刻したりしても、笑い飛ばせるようになった。そして、そんなふうに柔軟であとからいくらでも修正できる生き方を、あたりまえに感じるようになった。

一九七〇年代の初めごろは、夏の夕べに仲間のだれかに会いたければ、街まで出かけていけばよかった。うまくいけば、通りで偶然行きあえるだろう。そうでなければ、街にあるバーのどこかに顔を出せばいい。あの当時、そういうバーはせいぜい三つか四つしかなかった。もしバーに目的の相手がいなくても、そこにはたいていだれかべつの仲間がいて、運が良ければそのなかのだれかが、探している相手が今晩どこにいるかを知っていた。人づての情報はそうやってとどまることなく飛び交っていた。

もちろん、当時の街がいまよりずっと小さかったというのはあるだろう。だが大事なのは、あのころは携帯電話なんてなかったということだ。わたしたちは鳥のように自由だった。そして、それはじつにすばらしいことでもあったんだ。

あのころ、わたしたちはもっと「いま」に生きていた。と、こう書いているあいだにふと頭によみがえってきた一瞬の光景がある。わたしはその一瞬をきっと生涯忘れないだろう。あれはまだ十二歳のころ、オーヴォルの学校で授業を受けていたときのことだ。わたしは生物地学教室の自分の席に座って、ぼんやりと先生の話を聞き流しながら窓の外の通りを眺めていた。

通りには、片手でベビーカーを押しながら歩く女性の姿があった。もう片方の手では、ベビーカーに乗せた赤ちゃんのお兄ちゃんかお姉ちゃんだろうか、もう少し大きな子の手を引いている。

わたしはふと、この一瞬をとらえて心に刻んでみようと決めた。もっとはるかに大きな全体像のなかの、この一点だけを。精密に切り取られた、このひとこまを——そう、もっと言えば永遠というものの一面を、心にとらえようとしたんだ。

これまでの人生で感じたほとんどのことは、もう忘れ去ってしまったけれど、この瞬間だけはいまでも心に焼きついている。あれはわたしの生涯のなかでも特別重要な瞬間のひとつだ。きっとあれこそまさに、わたしの人生における「いまここ」だったんだ。

子どものころ、わが家は夏のほとんどのあいだを高原の山荘で過ごしていた。いまでも家族で訪れている、湖のほとりのヘングセンというところだ。この山荘には電気も電話も通っていなかった。だから夏のあいだに伯父や伯母が遊びにくるときは、何週間も前から約束をして、いろいろと取り決めておかなくてはいけなかった。

新聞や手紙はミルク配達のトラックがいっしょに運んできて、山を下ったところにある山道脇のミルク缶置き場まで届けてくれる。そして、いまでもありありと思いだせる当時の夏の記憶といえば、なんといってもミルク缶置き場まで片道一キロ半という道のりを往復したことだろう。ときには、食料品の詰まった大きなリュックサックを背負って帰りの山道を歩かなければならなかった。食料品もやはりミルク配達のトラックに載せられて、ミルク缶置き場まで届けられるからだ。

でも、わたしたちにはたっぷり時間があった。だから、あの道のりを長いと感じたことはない。あのころは毎日が長かった。

行き帰りの道すがら、湖で泳ぐこともできたしね。

わたしの両親は教師をしていたので、夏休みは二か月あった。ところがある年、がらりと状況が変わってしまった。父が（つまり、きみたちのひいおじいちゃんが）学校の管理職のような立場に昇進したことで、長い休暇をとれなくなってしまったんだ。それからは、山荘には母とわたしたち子どもだけで行くようになった。

夏のあいだに父に何か大事なことを伝えたいときや、確認したいことがあるとき、またはただちょっと寂しくて父の声が聞きたくなったときには、何キロメートルも歩いて山のふもとの村まで行って、電話局から長距離電話を頼むしかなかった。わが家には車が一台しかなかったし（そもそも車なんて一台もない家も多かった）、そのうえ母は運転免許をもっていなかったからだ。

山荘に行くときは、まず列車でオスロからオール駅まで向かい、そこから山の上まではミルク配達のトラックに乗せてもらっていた。この最後の道のりは二〇キロメートルほどあって、その距離はいまも変わらない。けれど、一九五〇年代や六〇年代にミルク配達のトラックに乗せてもらって走った二〇キロメートルは、いまの時代に車で走る二〇キロメートルとはぜんぜんちがっていた。

ミルク配達のトラックで行く二〇キロメートルのほうが、ずっと内容が濃かったんだ。「時間がかかる」という言い方は、わたしはしたくない。あの道のりを行く時間はいつだって「内容の濃い」ひとときだった。

　両親は休みのかなり前から相談して、父が山荘に来る日を決めていた。だから、わたしたち子どもはその日がくると、南向きの窓の前に何時間も座り込んで、山のふもとのほうを見張っていた。そうして、湖のほとりの農道に父の運転する青いＤＫＷ（デーカーヴェー）〔一九六〇年代まで製造されていたドイツのブランド車〕が現れるのを、いまかいまかと待っていた。それはぜんぜんたいくつな時間なんかではなかった。なにしろ、もし車の姿が見えたなら、それはほぼ半分の確率で父の車だったからだ。

　高原の牧場で働いている人たちは、当時は車を使っていなかった。週の平日のあいだは、女性たちだけが牧場にいて牛やブタやニワトリの世話をしている。土曜日になると夫たちがやってくるのだが、彼らもたいていは食料品を携えて荷馬車で来るのがつねだった。

　この高原に山荘をもっていたのはわが家だけじゃない。だから父の車を待っていない日も、山のふもとの道路を砂ぼこりを立てながらやってくる車を目にすることはあった。わたしたちはよく車が通るのをあてこんで、牧草地の柵（さく）の前に座っていたものだ。車が来たら門を開けてあげれば、うまくいけばちょっとしたおこづかい稼ぎができる。一〇オーレや二五オーレ、それにときにはひとり一〇オーレずつもらえることもあった。「アメリカの人」の車が来たら、たいていはアメリカ製のお菓子をもらえた。この人たちは夏の休暇以外はアメリカで暮らしていて、それでわたしたちは「アメリカの人」と呼んでいたんだ。

でも、わたしたちがほんとうに待っていたのは、やっぱり父だった。父はたいてい子どもたちがベッドに入る前か、遅くとも七月の白夜が薄暗くなるころまでには到着する約束になっていた。ところが何度か、母に伝えていた時間から四時間、ひどいときは六時間遅れたことがあった。父を待つあいだ、母はわたしたちを励まし、わたしたちは母を励ました。何かあったなんて、そんなことはきっとないはず……。

こういうことは当時はごくふつうにあった。朝のラジオでは、キャンプ旅行などに出かけていて移動中のため数日は手紙や電話で連絡が取れない人たちに向けて、よくこんなメッセージが流れていた。「現在トロンデラーグをご旅行中の、自動車ナンバーA-67426、青のフォード・タウヌスの所有者の方にご伝言です。お母さまが逝去されました——」

第10章 地質時代

わたしたち人間はほんのつかの間この世界を訪れ、ひとときかぎりの足跡(あしあと)を残して去っていく。ちょうど高原の湖で魚が一匹ぴょんと飛び跳(は)ねたとき、湖面に水の輪ができるように。

けれど、時間もまた足跡を残していくのだということを、わたしはラインスカルヴァ山のふもとで過ごしたある朝に知った。あれはたしか、七歳か八歳のころのことだ。

わたしたちはラインストーレンから続く急斜面(きゅうしゃめん)を登りきり、少しひらけた高台にたどり着いた。見下ろせば、遠くあちこちに湖や丘や暗い谷間を擁した、息をのむような高原の風景が広がっている。

そこから先はそれまでの急斜面ほど厳しい登りではないのだが、先に進むのはかなりたいへんだった。それまでの固い地面からうって変わって足場が悪くなったからだ。そこは大小の石や岩くずがごろごろと積もった斜面だった。わたしたちはまるで水のなかを歩くように、石を足でかき分けて進んだ。

いま歩いているこれが氷堆石、モレーンだよ、と父が教えてくれた。わたしはたぶんこのとき初めて、「氷堆石」という言葉を耳にしたんじゃないかと思う。

いまから何万年も昔、この辺り一帯は氷河に覆われていた。そして山やまから削り取られた岩石が氷河といっしょに流れていって、広い尾根のように堆積したものが、わたしたちがいま歩いているこの氷堆石だというんだ。何十万年以上ものあいだ、ノルウェー全体が厚い氷に覆われていた。

一九五〇年代末のその夏の日、わたしはたぶん生まれて初めて、いわゆる「地質時代」というものに触れたんだ。


それとほぼ同じころ、ハワイ島のマウナロア観測所で、科学者のチャールズ・デイビッド・キーリングが大気中の二酸化炭素濃度の観測を始めた。

一九五八年から現在に至るまでの継続的な観測から証明されたのは、次のふたつのことだった。まず、大気中の二酸化炭素濃度がたしかに上昇していること。そして、人類が石油や石炭や天然ガスといった化石燃料を燃焼させていることが、まちがいなくその原因となっていることだ。

化石燃料の燃焼は温室効果を引き起こし、それによって地球全体の気温は徐々に上がっていった。こうして、地球は時を示す新たな単位を手にすることになる。二十世紀から二十一世紀にかけて、大気中の二酸化炭素濃度は年とともに増える一方で、「○○ppm」という数字がまるで時の経過を示す単位のようになってしまったのだ(ppmとは「百万分のいくつ」という主に濃度を示す単位だ)。

産業革命が起こり、人類が地中の貯蔵炭素を掘り返して燃料として大量に燃やしはじめるまで、地球大気中の二酸化炭素濃度は二八〇ppmくらいにとどまっていた。それも何十万年にもわたって、驚くほど安定してこの濃度に保たれてきたんだ。それが産業革命以降、その数値は増加の一途をたどり、二〇二一年には四一五ppmを超えている。これは人間がまだ化石燃料を使っていなかった時代の自然な状態と比べて、およそ五〇パーセントの増加だ。さらに言えば、ここ数百万年でもっとも大気中の二酸化炭素濃度が高い状態でもある。

数百万年だなんて! まさに地質時代を語れるくらいの時間スケールじゃないか。

＊

太陽系の天体のなかで生命が存在すると確実にわかっているのは、わたしたちが暮らすこの地球だけだ。さらに、ここ数十年で太陽系外の惑星が何千個も発見されてきたけれど、そのいずれの星でも生命の存在をはっきり証明できる痕跡は見つかっていない。このことから察するに、どうやら宇宙という場所では、生命はとても希少な存在らしい。

地球には、生命が生まれ進化していくのにちょうどぴったりな環境が備わっていた。その環境とは、水が液体の状態でたっぷりと存在できるくらいの、低すぎず高すぎない気温だ。そしてよく知られているとおり、水は生命誕生の前提条件となる。

もし地球の公転軌道があとほんの少し太陽に近かったら、地上の水のほとんどは蒸発してしまっていただろう。逆にあと少しでも太陽から遠かったら、水はすべて凍ってしまい地表は氷に覆われていたはずだ。

わたしたちの暮らす地球は、太陽からの距離という点でちょうど「ゴルディロックス・ゾーン」の位置にある。これは童話『ゴルディロックスと三匹のくま』に出てくるとても選り好みの激しい女の子ゴルディロックスにちなんだ言葉だ。ゴルディロックスは三つのおかゆを目の前にしてどれかひとつを選ぶ場面では、熱すぎも冷たすぎもしない、いますぐに食べられる温度のおかゆを選ぶ。これが宇宙における生命の生存環境にどう関係しているのかって？　それはつまり、生命もまたゴルディロックスと同じくらい好みにうるさいってことだ。生命誕生の前提条件となる液体としての水が存在できるくらいの、ちょうど良い距離で恒星の周りをめぐる岩石惑星。そういう環境を、生命はどうしても必要としている。

逆に言うと……たとえば、いつの日か天文学者たちが新たな惑星を発見したとしよう。その惑星には豊かな海と、さらさら流れる小川と、大きな河川と内陸湖がある。ところが、生命の痕跡はこれっぽっちも見当たらない——こうなると、そういう温かく湿潤な惑星に命があふれているのを発見するよりも、学者たちはむしろ驚嘆するはずだ。

地球は太陽の周りをめぐる八つの惑星のうちのひとつで、さらにその太陽は天の川銀河にある一千億以上の星のひとつだ。そして天の川銀河だって、宇宙にある一千億以上の銀河のうちのひとつにすぎない。——いや、「この宇宙にある」と言ったほうがいいかな。

わたしたちが知っているのはこの宇宙だけだけれど、じつはそれ以外のべつの宇宙が無数に存在している可能性だってあるだろう。そう、それはぜんぜんありえない話じゃないんだ。

星ぼしと銀河、原子と分子、そしてひいては生命誕生の根幹的な条件を備えた、安定した──つまりは「持続可能な」宇宙。それを支えるため、この宇宙をつかさどる自然の力は驚くほど緻密にバランスを取りあっているようにみえる。

命を育むうえで必要な条件がこの地球にこんなにもそろっているなんて、不思議だと思うかもしれない。でもそれは、そういうものなんだ。神がすべてを「設計」して世界を創造したんだと信じるのでなければ、考えられる可能性はこうだ。つまり、生命に必要な環境が生じなかった宇宙も、じつは無数に存在している──。そういう宇宙では当然、こういうふうにだれかが宇宙について思いをはせることもない。

宇宙は（わたしたちのこの宇宙は）、謎に満ちた爆発によって生まれた。そして、わたしたちはいまも、その爆発の余波のなかで生きている。この爆発のことをビッグバンという。

ビッグバンがどんな爆発だったのか、なぜそれが起こったのか、それはだれにもわからない。少なくとも、わたしたちの周りではね。とにかく、この爆発によって生じたエネルギーによって、宇宙のもととなる「クォーク」というものすごく小さな素粒子が生まれた。その後、爆発後の宇宙がだんだんと冷えていくにつれて、クォークが集まって陽子や中性子が生まれ、そこからさらに水素原子核とヘリウム原子核が形成されていった。

電子殻（でんしかく）をもった完全な形の原子が生まれたのは、ビッグバンから数十万年後のことだ。それでも、この時点で存在していたのは宇宙でいちばん小さな原子である水素、そしてヘリウムだけだった。もう少し重い原子はおそらく宇宙で最初に生まれた第一世代の星ぼしの内部で、高温で溶けあって生まれた。それよりもっと重い原子はいわゆる超新星爆発によって、そして宇宙でもっとも重い原子は、ふたつの中性子星の衝突（しょうとつ）によって形成されたのではないかと考えられている。

宇宙のいたるところで化学結合が起こり、わたしたちが「分子」と呼ぶものがつくられていった。そのなかでも地球上の生命にとって根幹となるのが、酸素（O_2）、水（H_2O）、そして二酸化炭素（CO_2）という三つの分子だ。酸素分子は地球大気中の分子のおよそ五分の一を占めている。いっぽうで、二酸化炭素分子の占める割合は、少し前にも話したとおり四一五ppm、つまりわずか〇・〇四パーセントだ。

ビッグバンが起こったのは百三十八億年前、そしてわたしたちの太陽系が誕生したのは四十六億年前だと言われている。つまり、地球は宇宙の年齢の三分の一に届くらい長生きだということだ。この星に思いをはせるとき（それはほんの少しだけ、自分に思いをはせることにも通じる）、そういうふうに考えるとなんだかちょっと気分がいい。

生まれたばかりの地球は、高温で赤く燃えたぎっていた。やがて温度が下がっていくにつれて、「高分子」と呼ばれる少し複雑な分子がつくられていく。地球の歴史のなかの初期段階であるこの時期、大気中にはまだ遊離酸素（他の元素と結合していない状態の酸素）は存在していなかった。太陽光の紫外線から地球を守ってくれるオゾン層もだ。でもそれは、高分子が漂う「原始のスープ」から最古の生命が誕生するためには必要な環境だった。三十億年以上前、原始的な生命体である生きた細胞が地球に誕生する。

最初の生命がどこで、どのようにして生まれたのか、くわしいことはわかっていない。海の中で生まれたのかもしれないし、生命のもとになった「材料」が天体の衝突によって地球外からもたらされた可能性もある。少なくとも、地球にある水のほとんどは、そういう形で宇宙からやってきた可能性が高いと考えられている。

原始の単細胞生物は光合成と呼ばれる化学プロセスを通じて、動物が生きるうえで欠かせない遊離酸素を生成しはじめた。やがて、地球の生命を有害な紫外線から守ってくれるオゾン層も形成されていく。

わたしがとても魅力的なパラドックスだと思うのは、生命が繁栄し複雑な有機体へと進化していくうえで欠かせない条件（つまり、大気中に遊離酸素があって、オゾン層に守られているという環境）がもし原始の地球に当初から存在していたら、生命の源はむしろ生まれていなかったということだ（もし生まれて間もない地球の大気中に遊離酸素が存在していたら、生命を構成するはずの物質はアミノ酸のような複雑な高分子を形づくるより先に酸化してしまっていただろう。それに、オゾン層は紫外線をさえぎるけれど、その紫外線は原始の生命誕生を促す重要な触媒だった可能性があるんだ）。

現在の地球では、新たな生命は生まれていない。ずっと昔から存在していた生命がさまざまに繁殖を続けているだけだ。地球で新たな命が生まれたのは、三十億年以上前が最後だった。しかも、それは最初で最後のことだったのかもしれない。

地球に誕生した原始の生命がつくりあげた大気は、太陽の日射から得られたエネルギーをすべて宇宙に放出するのではなく、その一部を地球にとどめておく働きをもっていた。これを温室効果といい、その働きを担っている気体を温室効果ガスという。こういった温室効果ガスを含んだ大気がなかったら、地球の気温はいまよりずっと低くなっていただろう。つまり当然、生命にとってはあまり居心地のよくない環境というわけだ。

　このように温室効果というのは自然の産物で、人間が生みだしたものじゃない。さて、温室効果ガスのなかでもとくに重要なのが二酸化炭素だ。二酸化炭素のおかげで、わたしたちは凍え死なずにすんでいるわけだが……いま、人間のさまざまな活動が原因で、この二酸化炭素の量が急激に増えつつある。それによって、わたしたちは地球規模の温暖化、つまりは人間自身が引き起こした気候変動に脅かされているんだ。

　これもある種のパラドックスだと思うんだが、自然な温室効果がなかったら、地球はきっと命の宿らない雪玉のような冷たい星になっていただろう。地表の温度はいまより三三度も低くなっていたとも言われる。そのいっぽうで、人間が引き起こした過剰な温室効果によって地球の気温はどんどん上がり、何年後かには生き物が住めない環境になってしまうかもしれない。


　植物は光合成を通じて空気中の二酸化炭素を取り込み、それをもとに植物のさまざまな組織をつくる。それを動物が食べる。いっぽうで、動物が息を吐いたり、有機物が腐敗などによって分解されたりすると、二酸化炭素は空気中にふたたび放出される。さらに植物の光合成には、人間や動物の呼吸に必要な酸素を生成する働きもある。こんなふうに、生命の生きるプロセスが自然な炭素循環を生みだしているんだ。

　生物以外においても、自然界には同じようなバランスが働いている。たとえば火山の噴火のような地球物理学的なプロセスによって、二酸化炭素は大気中に放出される。けれど同時に、有機体の死骸や排泄物がゆっくりと分解され沈殿していく過程を通じて、ふたたび海底に戻っていくんだ。このサイクルは何十万年にもわたってほぼ一定に保たれていて、そこに人類が影響をおよぼすことは（ごく最近まで）まったくなかった。

　さっきから「サイクル」とか「炭素循環」という言葉を使ってきたけれど、ここにきて、バランスのとれたそのサイクルを激しくかき乱すできごとが起こる。太古の植物や動物の死骸からつくられ、何億年もかけて石炭や石油や天然ガスという形で地殻（地球の表面を覆う岩石）に貯蔵されてきた大量の炭素。それらはいわば「貯蔵庫に取り置かれた」状態で、このサイクルからは除かれていた。

　こうした貯蔵炭素は何億年もの長いあいだ、ずっとそうして眠っていた。それがあるとき、いわば一夜にして、人間たちがこれを掘り返し、燃料として燃やし、二酸化炭素を大量に大気中に放出したんだ。それまでのバランスは突如として崩れ、循環は断ち切られた。いまや（キーリングが観測によって証明したとおり）大気中に放出される二酸化炭素の量は年々増えるいっぽうとなり、地球の気温はどんどん上がっている。

　人間の活動によって排出される二酸化炭素量は、自然に循環している量からすればごくわずかかもしれない。それでも、そうして生じた余剰の二酸化炭素は、自然の営みによってふたたび地殻に取り込むことができる量を超えているんだ。そうして自然に取り込まれなかった二酸化炭素は、代わりに大気中に——そして海に溜まっていく。

　これは食物のカロリーに似ている。自分の体が必要としている以上のカロリーを（ワッフルとか、マジパンとかをつまんで）毎日摂っていたら、そのうちきっと太りだすだろう。それと同じで、大気も日々どんどん二酸化炭素を溜め込んでいるんだ。自然が草や木々の生命を維持するのに必要としているより少しばかり多すぎる量の二酸化炭素を、わたしたち人間は日々排出している。

　自然のプロセスを通じて何億年もの時をかけて大気から取り除かれ、地殻に貯蔵されてきた、とてつもない量の炭素のことはさっき話したね。ところが、わずかここ二百年のあいだに、人間はそれを力づくで奪い取り、この星をすっかりめちゃくちゃにしてしまった。そうして手に入れた燃料をあっという間にどんどん燃やして、大気中に温室効果ガスを放出している。最初のうちは、それがどれだけ自然と環境を汚しているかに気づかずに。けれどしだいに、自分たちが何をしでかしているかをはっきり自覚したうえで。

同じことは、自然豊かな土地のずさんな管理についても言える。森や沼地や湿地帯は世界じゅうでたくさんの炭素を吸収してくれている。わたしたちの住む北寄りの気候帯でもそうだけれど、なかでも世界最大の炭素貯蔵庫と言えるのが、南国の熱帯雨林だろう。しかも熱帯雨林には唯一無二(ゆいいつむに)でかけがえのない動植物種が豊かに息づいていて、そういう意味でも特別な場所なんだ。

人類はいますぐにでも温室効果ガスの排出に歯止めをかけ、熱帯雨林の伐採(ばっさい)と燃焼をストップさせなくてはならない。それが二〇二〇年代に入ったいま現在における世界の共通認識だ。ところが、この世界的な取り組みに加わろうとしない人びともいる。人間を原因とした気候変動なんてものは存在しないと主張する少数派が（ここノルウェーにも）存在するんだ。こういう人たちは、事実を「フェイクニュース」だと主張する。あるいは、あるトップレベルの元政治家の言葉を借りれば、「人間を原因とした気候変動なんてものは信じていない。もしそんなものが存在するのなら、政治家がとっくの昔に対処しているはずだ」と言ったりする。こういう論理の展開のしかたを循環論法というんだが、これこそまさに「悪循環」だろう。

多くの気候専門家は、温室効果ガスの排出を止めるだけでは、もうじゅうぶんではないと考えている。並行して、大気中から炭素を取り除く方法も研究していかなくてはならない。世界はそれだけ危機的状況にあるんだ。

ちょっと簡単にまとめてみよう。地球に貯蔵された石油や石炭や天然ガスには何億年も前から大量の炭素が閉じ込められていて、いつの日か燃やされ大気中に放出されるのを待ち望んでいた。十八世紀末以降、化石燃料はまるで魔法のランプに閉じ込められていた魔神がアラジンに甘い言葉をかけるように、人間を誘惑しはじめる。「ここから出してよ、そうしたらあなたにお仕えして、富と力を与えてあげるから！」炭素はそう人間にささやきかける。そうして、わたしたち人間はその誘いに乗ってしまったんだ。そしていまになって魔神をふたたびランプに戻そうとしたところで、魔法の力を解き放つことよりもとに戻すことのほうがずっと難しいことに気づかされたというわけだ。

もし現時点で地球内部に残されている石油と石炭と天然ガスをすべて掘りだして大気中に放出したら、わたしたちの文明は終わりを迎えるだろう。でも、きっと現実にはそこまでひどいことにはなるまい。なぜなら、いま世界は幅広い取り組みを通じて、エネルギー革命を急速に進めるために、そしてもしかしたら、いわゆる「消費社会」を取り巻くさまざまなものを終わらせるために、すでに動きだしているからだ。

それでもなお、わたしがこの手紙を書いている現在、多くの国や政府は自国領内にある化石燃料を採掘して燃焼させることは自分たちの権利だと考えている。でも、だったら熱帯雨林をもつ発展途上国にだって、自国領内の熱帯雨林を自分たちの好きに開発する権利があるということになってしまわないか？

それで地球にどんな影響があるのかって？　おおいにあるに決まっている。地球規模で排出される二酸化炭素量をとっても、絶滅して失われてしまう動植物種をとっても、どれだけ大きな影響が出ることか！

第11章
電波信号

地球以外の天体に生命体がいることを示す痕跡は、これまでのところ見つかっていない。だからといって、原始的な形の生命が宇宙にまったく存在していないとは必ずしも言いきれないだろう。火星はもとより、太陽系内の衛星のいずれかで原始的な生命体が発見される可能性だってぜんぜんゼロじゃない。極小の生命体をめぐる探査は、地球を取り巻くごく近い範囲のなかでさえ、まだ始まったばかりなんだ。

でもいっぽうで、宇宙のあらゆる方向に長いこと耳をすませてきたにもかかわらず、わたしたち人類のもとにはるか遠いべつの文明からの電波信号が届いたことは一度もない。

たとえいまこの瞬間に人類が宇宙でひとりぼっちだったとしても、時間と空間の連続体である宇宙空間で、銀河に散らばる星のいくつかに、かつて知的文明が存在していた可能性はもちろん考えられる。あまりに大昔だったので、その文明からの信号が届いていたころ人類はまだ誕生していなかったというわけだ。

だれかとだれかが出会うには、時間と場所の両方がぴったり合っていないとだめだ。そして、人類自身の経験から言って、知的文明が数十万年以上にわたって存在しつづけると信じる理由はどこにもない。数十万年といったら、宇宙の尺度からすればほんの一瞬だ。

さらに、この銀河系のどこかにいる知的生命体は、地球のわたしたちと同じように炭素結合を基盤（きばん）とした生命体である可能性がある。天の川銀河には炭素と水がじゅうぶんすぎるくらいたっぷりある。そして、炭素を基盤とした生命体が存在するところには、遅かれ早かれ化石炭素が貯蓄されていく。

すると、こうは考えられないだろうか。地球外の知的生命体もまた、ある程度の技術水準に達することと引き換えに、わたしたちの惑星と同じような大気をめぐる危機に陥っているんじゃないか？　彼らもやはり高度な文明へと発展を遂（と）げていく過程で、化石燃料に手をつけた。そしてついには、宇宙に向けて電波信号を送れるくらいに高い技術を手に入れた――。

でも、それならなぜ、そういう生命体の存在を示すサインが地球に届かないんだろう？　ひょっとして、宇宙のどこかで起こっている化石燃料の燃焼と、それにともなう大気の崩壊が、何か関係しているんだろうか？

　これは純粋（じゅんすい）に思索（しさく）のための思考実験で、投げかけた問いもほんとうのところは問いじゃない。わたしはただ、こう示したかっただけだ。人間が自分たちの住む惑星の大気や自らの文明を守ることができると証明できなければ、宇宙のべつの文明から信号が届く可能性もそれだけ低くなるんじゃないか、とね。

　さあ、ここからはきみたちに話してもらう番だよ、レオ、オーロラ、ノア、アルバ、ユリア、マーニ、愛するみんな。二〇二一年のある晴れた春の日、こうしてパソコン画面に向かっている時点で、わたしには未来のきみたちとくわしく語りあいたいことが山ほどある。とりわけ、愛するマーニ、いまはまだ小さなきみと話したいことがね（そのための大前提はもちろん、わたしがまだ生きていることだけれど）。

　この世紀がもう少し進んだ時代、きみたちのいる世界はどんな感じになっているだろう？　地球外生命体をめぐる宇宙探査に何か大きな進展はあったかな？

　もし、たとえば木星の月かどこかで原始的な生命体が発見されたとしたら、それは画期的な大発見と言えるだろう。なぜなら、人類は宇宙にひとりぼっちではない、ということになるからだ。それに、当たりくじ（つまり、生命）が地球以外にもあったということは、生命が存在することがけっしていま現在考えられているようなまれな現象ではなく、むしろふつうの状態である可能性が大きく高まったということだ。天の川銀河だけにかぎっても無数にある天体に、生命が存在する公算も高くなる。なぜなら前にも書いたとおり、そういう天体の存在をわたしたちはつい最近になってはじめて知ったからだ。太陽系の外にある、太陽以外の恒星の周りをめぐる星のことを太陽系外惑星というんだが、これまでに実在することが確認された太陽系外惑星は四千個以上にのぼる。

この手紙が二十一世紀の末ごろにもう一度読まれていると仮定しようか。七十年後か八十年後かそれくらいだ。さあ、そちらのようすはどうだい？ これまでのあいだに、地球外生命体の存在を示すなんらかのサインが宇宙から届いたりしているかな？地球外の文明との対話が実現しているかどうかは聞かないよ。なぜなら、そのとてつもなく遠い距離（それと、いらいらするほどのろい光の速度）のせいで、宇宙でのやりとりは一往復するのに何百年も何千年もかかるからだ。

たとえば、一千光年離れた場所から地球にこんな通信が届いたとしよう。「ハロー、そちらにだれかいますか？」人類は宇宙の共通語みたいな言葉を使って、こう返信する。「ええ、いますよ！」この返答が先方の地球外文明に届くのは、彼らがこちらに最初のメッセージを送ってから二千年近くが過ぎたころだ。そこからさらに千年後、もしかしたら返事が返ってくるかもしれない。つまり、「ハロー、そちらにだれかいますか？」「ええ、いますよ！」「そいつはうれしい、ぜひいっしょに何かやりましょう！」というやりとりだけで、三千年かかるということだ。

はたして地球の文明はそんなに長いこと滅びずに続いているだろうか？　わたしたちの遠い未来の子孫は、いま地球で使われている言葉のいずれかに多少なりとも似た言語を、まだ使っているんだろうか？　これは、すごく重要なところだ。

宇宙のかなたのほかの文明とコミュニケーションをとるためには、まず大前提として人類自身が自分の子孫とコミュニケーションをとれなくてはならない。そして、交信先の地球外文明が宇宙の遠くかなたにあればあるほど、彼らと交信するためには、人類はより長いこと生き残らないといけないんだ。

ここで思いだされるのは、フィンランドの三人の木こりの話だ。三人は森の小屋でウォッカを飲んでいた。一時間が経つころ、三人のうちのひとりがグラスを掲げて「乾杯！」と言った。その一時間後、ふたりめの木こりがグラスを掲げて、「乾杯！」と応じる。それからさらに一時間後、三人めがむっとしたようすでこう口をはさんだ。

「おいおい、今日は飲みにきたんだ、くだらんおしゃべりはいい」

第11章
電波信号

さてと、話を戻そうか。二十一世紀の末ごろのそちらでは、宇宙に知的生命体が存在することを示す痕跡は見つかっているかい？　わたしが知りたいのは、そこのところだ。もしまだ見つかっていないなら、それについて天文学者はなんと言っている？

それに、哲学者は？

そうだな、もっと広い形の質問に変えたほうがいいかもしれないね。ではこう尋ねてみよう。二十一世紀の末ごろのそちらでは、七十年か八十年前にパソコンの前に座ってこうして手紙を書いているわたしが、びっくりするような、ショックを受けるような、あるいは喜ぶようなできごとがあっただろうか？

さあ、話してくれ！　わたしがその答えを聞くことはもうできないけれど、そんなことは気にしないで、どうか話してほしい。そうすることで、わたしたちはある種の会話を交わせるんだ。あの森の小屋で酒盛りをしていた三人の木こりとちがってね。

きみたちがまだ小さかったころ、わたしはよく「どうしているかい、元気かな？」と尋ねたものだ。そうするときみたちは、できるかぎりの形で答えてくれた。ほんとうに幼いころには、鼻息やうなり声だけが返ってくることもあったね。それよりもっと小さくて（愛するマーニ、いまのきみのように）まだ言葉がわからなかったころだって、きみたちに語りかけるのはけっして無意味なことじゃなかった。なぜなら、言葉はわからなくても、わたしの声はみんなの耳に届いていたからだ。

　でも、二十一世紀末には状況は変わっているだろう。きみたちはもうわたしの声を聞くことはない。それでも――こうして文字の力を借りて――わたしの問いかけを理解することはできる。そう、わたしはきみたちがどうしているか知りたい。昔と同じようにね。何よりも、それが知りたいんだ！

　もっとも、そのころには返事をされても言葉がわからないのは、わたしのほうだろうけれど。ある意味では、おたがいの立場が逆転したようなものだね。

　気がかりなのは、わたしたちの惑星がどうなったかということだ。わたしの惑星が。だって、この星はわたしの一部だ。そして、未来永劫わたしの一部であり続ける。わたしにとって、これはすごく大切なことなんだ。迷える十代のころ、深い森のなかで得たあの体験を信じる気持ちを、わたしはけっして失いたくない。自分はこの星の上で生きているだけでなく、この星そのものなんだと気づいた、あのときの体験を忘れたくない。わたしはこの地球の一員でいる権利を生まれながらにもっているんだ。

　きみたちがこの手紙を読んでいるいま、地球大気中の二酸化炭素濃度はどれくらいになっているだろう？　地球の平均気温はこれまでにどれくらい上昇した？　二十一世紀の最初の十五年以降、世界はある目標を立てた。世界の平均気温の上昇幅を、人類が化石燃料を使いはじめる前と比べて二度未満に抑える、というものだ。これはパリ協定と呼ばれる世界的な取り決めで、二〇一五年十二月十二日に採択された。どうだろう、この目標は守られている？　それとも、地球の平均気温は三度、四度、あるいは五度と壊滅的に上がってしまっているだろうか？

どうか答えてくれ！　温暖化によって、地球ではいまどんな気候変動が引き起こされている？

グリーンランドの状況はどうだろう？　南極の氷は？　海面はどれくらい上昇した？　そして二十一世紀末の科学者たちは、未来の見通しについてどう考えている？

太平洋ではどれくらい多くの島じまが海に沈み、人の住めない状態になってしまった？　教えてくれ！　世界の沿岸部のどこが海にのみ込まれ、そこにあった都市はどうなってしまった？

生態系の深刻な破壊はどこで起きている？　アフリカのサハラ以南などの地域では、いまもまだ農業ができているだろうか？　世界人口を養うための食料確保の状況はどうなっている？

アフリカのサバンナではいまもまだ、ヌーやアンテロープやゾウやキリン、それにライオンやヒョウが駆(か)けまわっているんだろうか？　セレンゲティとマサイマラのあいだで毎年見られていた野生動物の大移動は、いまもまだ見られるかい？　それとも、森林と草原がモザイク状に広がっていたあの大地は、いまではいくつもの醜(みにく)い穴にむしばまれているのか？

チンパンジーやゴリラはどうなった？　スマトラ島やボルネオ島のジャングルに住むオランウータンは？（捕獲された動物の話じゃなく、ジャングルでの話をしているんだ！）

それに、アマゾン川流域はどんな姿になっている？　頼むから、こんな答えはかんべんしてくれ。「ありがとう、おじいちゃん、みんな元気にやっているよ。でも南米の広大な熱帯雨林はいまはもうないんだ。あのあたりはぜんぶサバンナか広大な平原になってしまった。西部劇みたいな荒涼とした大地がまたひとつ増えたんだ――」

そうだ、海は？　海はどうなっている？　サンゴ礁(しょう)や水産資源はどうなった？

メキシコ湾流の流量は？

それからもうひとつ、どうしても聞いておかなきゃいけないことがある。この世紀のあいだに、核戦争は起こったかい？　地域的なものか世界規模のものかは問わずだ。その戦争はどんなふうにして始まった？　そして、それに関わった国や人びとは、どうなった――？

第11章

電波信号

ああ、だめだ、もうこれ以上は恐ろしくてとても聞けない。きみたちの答えがわたしに届かないのが、かえって幸せな気さえしてくるよ。

第12章 地球の持続可能性

思うに作家というのは、自分が書いた本を自分で読み返すことはあまりしないものだ。少なくとも、わたしはしない。出版前にすでに何度も原稿を読み直しているし、本になったあとに直したいところを見つけたって、どのみちもう遅いからだ。

でも一度だけ、しっかりと腰を据えて、自分が書いたとある本をつぶさに読み直したことがある。その本とは『ソフィーの世界』。「哲学者からの不思議な手紙」という副題のついた、哲学の歴史をまとめた本だ。わたしには一点だけ、どうしても確認しなければならないことがあった。そして、探していたそれが本のなかに見当たらないと気づいたとき、どっと冷や汗が出る思いだった。ああ、やはりか。まるで自分のなかにぽっかりと大きな穴があいたような気分だった。結局わたしは認めざるをえなかった。あの本のなかで、自分がある重要な哲学上の問いにまったく触れていなかったことを。

わたしたち人間が投げかける哲学的問いは、いつの時代も変わらないのだろうか？

これに対するわたしの答えは、イエスでありノーだ。宇宙の性質や、存在における自分の立ち位置に関するたくさんの問いは、何千年も昔からいまも変わらず存在している。この世界には、わたしたちに哲学的な反応を促す何かがあるんだ。人間はけっして自分自身の存在に驚くことをやめないだろう。

でもいっぽうで、まったく新しい種類の問いが生まれることもある。これはわたしたちを取り巻く環境が急激に変化したからだ。社会的にも、科学的にも、技術的にも。その一例が、コンピューター技術から生まれた人工知能、AIだろう。コンピューターやそのネットワークが意識を——あるいは自意識をもち、それにともなって不安や嫌悪感や喜びを感じられるようになる日が、はたしていつか訪れるんだろうか？そういう人工知能に対してはどんな法的保護が必要で、そもそもこれらにはどんな権利があってしかるべきなんだろう？

なかには、自然科学の発展によって多かれ少なかれ解明された哲学的問いもある。たとえば「生命は何からなるのか」といった太古の昔からある問いは、生物学によって大幅に解き明かされた。それに、一九五〇年代初めにＤＮＡの分子構造が解明されて以降、ある生物の特質がどうやって世代を越えて受け継がれていくのかは、もはや大きな謎ではなくなった。この問題にはかつてプラトンやアリストテレスといった哲学者たちも頭を悩ませてきたんだ。まあ、悩むのももっともだね。

それでも、わたしたちが哲学できる対象はまだまだたくさんある。そのなかでも一級品と言えるのが、倫理をめぐる哲学的問いだろう。たとえば、こういった問いだ。人生でもっとも大切な価値は何か？　正義とは何か？　人間や動物はどんな権利を有している？　自然にも権利はあるか？　そして、最善の社会システムとはどういうものか？

だが、わたしたちの時代におけるいちばん重要な哲学的問いは、なんといってもこれだろう。「人類の文明と地球の生命基盤をこの先どうすれば守っていくことができるか？」

一九九一年〈日本語版は一九九五年〉に出版した『ソフィーの世界』のなかで、わたしはこの問いにまったく触れていない。そのことに気づいた瞬間、冷や汗が出た。いったいなぜ、当時のわたしはこの問いを見落としてしまっていたのだろう？

いまさっきわたしは、「わたしたちの時代におけるいちばん重要な哲学的問い」と書いた。ここで言う「わたしたちの時代」というのは、わたしが生まれた年代に始まって、そこから少なくとも二十一世紀の終わりごろまで続く一連の時期のことだと思ってほしい。この手紙の冒頭にも書いたとおり、この百五十年は人類の歴史に、ひいてはこの惑星の歴史において決定的な時代のひとつとなるんじゃないかと、わたしは思っているんだ。

未来の地球の環境がこの手紙を書いている現在より悪化したなら、それは大部分がわたしやその子どもの世代の責任だ。でも次の世代が育っていくにつれて、きみたち次世代の人びともまた、その責任の一端（いったん）を担うことになるだろう。いっぽうで、二十二世紀が始まるころには、もっとも深刻な問題のいくつかはすでに収束しているか、あるいは近い将来解決できるめどが立っているかもしれない。

人類はこれまでも、何世代もの時を経てはじめて解決できるような課題に向き合ってきた。この手紙もまさに、祖父から孫たちに向けて書かれた手紙だ。

でも、人類の文明と地球の生命基盤を守ると言ったって、どうすればそれが実現できるんだろう？　じつのところ、この問いにはいくつもの要素が関係してくる。まず、これは倫理哲学的な問題と言えるだろう。というのも、未来の子孫と自分たちの文明のために力を尽（つ）くすのは、人類の一員としての義務だとわたしは思うからだ。なぜそう思うのかについては、この手紙のあとのほうで話すことにしよう。さらには、自分たち以外の生物種の生存環境を守ることも、わたしたちの倫理的義務となる。この惑星の豊かな生態系をいままさに破壊しているのは、わたしたちだ。いまここにいるのは、わたしたちなんだ。

さらに、この問いにはもちろん政治的な側面もある。個人として、社会として、人類として、何かを願っているだけではじゅうぶんとは言えない。大事なのは、何が必要で、どんな行動をとるべきかだ。掲げた目標をどのようにして達成するか？　そのためには、どんな仕組みが必要か？　世界経済にはどんな変革が求められ、どうすればそれを実現できるか？　より公平な資源の分配のための基盤はどうすればつくれるのか？　地球環境にいちばん負担をかけている世界の最富裕国の人びとは、どういった特権を手放すべきなのか？　自主的にか、それとも強制的に？　そもそも、こういった必要な変革の数かずは、資本主義における飽くなき利益の追求とほんとうに両立しうるんだろうか？

この手紙を書いているいま、世界は近現代史上類を見ないパンデミックのさなかにある。似たような状況を探そうとしたら、百年ほど前、スペインかぜとも呼ばれるインフルエンザが大流行した時代にまでさかのぼらなくてはならないほどだ。だが、この一年でわたしたちは、小さな自治体から国家、そして国際社会まで世界のすべてが

――そう、まさに人類全体が！――力を合わせて必要な対策を講じ、共同の取り組みを進めるために、否応なく一致団結するさまを見てきた。それはとりわけ、ついさっきもあげた自主性と強制とを天秤にかけることでもあった。このふたつを絶妙なバランスで保つことが、パンデミックに立ち向かううえでは重要だったんだ。

*

あらゆる倫理の重要な基礎となっているのが黄金律、言わば「おたがいに与えあう」という原則だ。これは「自分が他人にしてもらいたいと思うことを、他人に対してしなさい」というものだ。だがいまや、この原則は横の関係、つまり「わたし」と「他人」だけに当てはめていいものではない。そこには縦の関係性も存在するのだということに、わたしたちは少しずつ気づきはじめたんだ。つまり、きみたちは自分たちが前の世代にしてほしかったことを、次の世代に対してしてあげなくてはならない。

そう、単純なことなんだ。自分の隣人を、自分自身のように愛すること。ここでいう隣人には、自分のすぐ隣の世代の人びとも含まれる。それどころか、自分のあとにこの地球に生きる、すべての存在が含まれるんだ。

地球上の人間は、みんながいっせいに同じ時期に生きるわけじゃない。わたしたちの前の時代に生きた人がいて、いままさに生きている人がいて、そして、わたしたちのあとに生きる人がいる。けれど、わたしたちのあとに生きる人びとだって、だれもが仲間だ。わたしたちは彼らに対して、もし彼らが自分より前の時代の地球に生きていたら、自分たちに対してこうしてほしかったと望むことをしてあげなくてはいけない。

ただそれだけの、簡単なルールだ。つまりわたしたちは、いまこうして生きる場として与えてもらっている地球を、いまより価値の少ない状態で未来の彼らに手渡してはいけない。いまより少ない魚、乏しい飲み水、食料。減ってしまった熱帯雨林、サンゴ礁、植物や動物の種……。

　この地球のもつ美しさ、驚異、壮大さ、そして喜びを、いまより少ない形で引き渡すわけにはいかないんだ！

　二十世紀を通じて、世界には一定の国際的な取り決めや義務が必要だということが、ますますはっきりしてきた。そんな国際的な法的基準として画期的なものとなったのが、一九四八年に国連総会で採択された世界人権宣言だ。もしかしたらそれは、哲学と倫理学が現在までに手にしたいちばん大きな勝利かもしれない。なぜなら人権というのは、より強い力をもっただれかから与えられるものではないからだ。何もないところから手品みたいにぱっと取りだせるものでもない。それは、何千年もの長きにわたる成長の途上に刻まれた、ひとつの分岐点なんだ。

いっぽうで、多様な権利を主張しながらいくつかの根幹的な義務は受け入れようとしない、そんな姿勢がはたしていつまで通用するだろう？　この問いはたぶん、二十一世紀においてもっとも重要な問いのひとつとなる。これについては、新たな国際協定が必要かもしれない。いまこそ、「世界義務宣言」をつくるときじゃないだろうか。国連で持続可能な開発目標（SDGs）が採択されたことも、こういった考え方が徐々に注目されつつあることのあらわれだろう。

個々の自由と権利ばかりを主張して、国家や個人の負うべき義務から目を背けつづけることはもはや許されない。そしてこの義務には、地球に対してわたしたちが負うべき義務も含まれる。わたしたちが生きる、この地球——かつてアポロ8号の宇宙飛行士たちが月の大地から昇るその姿を「地球の出」として目の当たりにし、ボイジャー1号が淡いブルーの点として写真のなかに永遠にその姿を刻んだこの地球に対して、わたしたちは義務を負っているんだ。

この星の生命基盤を守るには、これまでのものの考え方に「コペルニクス的転回」をもたらす必要がある。すべての天体が地球を中心に回っているという考えが浅はかだったように、自分のいる現在だけを中心にすべてが回っているかのように生きることもまた浅はかだ。いま現在という時間の重要性は、未来のあらゆる時間の重要性となんら変わらない。もちろん、わたしたち自身にとっては自分の生きているいま現在が何より重要だろう。でも、自分たちの時代が次の世代の人びとの時代より重要であるかのように生きてはいけない。

自分の生きる時代を愛することは、必ずしも自分勝手なことじゃない。でも、自分の時代と同じくらい、そのあとにくる時代のことも尊重するべきだ。そんな隣人愛の精神に従うことが、ものの見方のコペルニクス的転回につながる。

個人どうしや国と国との関係においては、わたしたち人間は弱肉強食のルールが支配する「自然状態」から抜けだすことができた。だが、未来の世代との関係性という点では、いまもまだひどい無法状態が続いているんだ。

地球中心のこの考え方は、甘くて浅はかなのかもしれない。でも、いま共有しているこの地球以外に代わりの惑星がいくらでもあるかのような態度で生きることだって、同じくらい浅はかなんじゃないだろうか。

宗教についてどう考えようが、それは個人の自由だ。いつか世界に救済がもたらされることを願うのだって、同じく自由だろう。ただし、新たな天と地がわたしたちを迎え入れてくれるかというと、それは期待できない。いつの日かほんとうに、超自然的な存在によって「最後の審判（しんぱん）」が下されるかどうかも疑わしいところだ。いっぽうで、わたしたちはいつかきっと、未来の子孫たちによって裁きの場に立たされることになるだろう。

気候変動も生物多様性の危機も、どちらも人間の欲深さに関係している。だが欲深い人本人はたいてい、そういったことに気をもんだりはしない。これについては歴史上さまざまな例があるけれど、なかでもいちばんの好例が、わたしたち自身の世代の欲深さだろう。歴史のほかの時代にも、倫理にもとる力の行使によって、ありとあらゆる富とぜいたくがもたらされた例はいくつもある。奴隷制（どれいせい）もそのひとつだ。奴隷制はやがてべつの経済形態に取って代わられるのだが、これもまた奴隷と無縁（むえん）ではなかった。その新たな経済形態とは、石油経済だ。ただし、石油経済における奴隷は、いまはまだ生まれていない人びとなんだ。彼らはのちのち、わたしたちの世代が楽しんだぜいたくな宴の代償を支払うために、大きな苦労を背負わされることになるだろう。たしかに、石炭や石油は多くの人を貧困から救いだした。いっぽうでそれらの天然資源は、たくさんの人をグロテスクなまでの浪費ととてつもない過剰生産へと導いたんだ。

石油一バレル、およそ一五九リットルの生みだすエネルギーは、肉体労働でのべ一万時間分の仕事量に相当する。労働者ひとりの年間労働時間で考えたら、およそ六年分だ。そんな想像もつかないほどの力をもった燃料が、現在ではばかみたいに安い値段で売られている。

石油はだれのものでもない。地面を掘ればどんどん湧いてくる。でも、そんな石油もやがては枯渇するだろう。そうなれば、人類はどのみち化石燃料を燃やしつづけることもできなくなる。これだけ大量の化石燃料を現時点ですでに使いつくしてしまったうえ、その分の二酸化炭素を大気に放出しておいて、わたしたちはその代価の支払いを次の世代に先送りしているんだ。

例の黄金律に従うなら、わたしたちは次の世代が化石燃料なしでもやっていける状況をしっかり確保したうえでしか、自分たちが化石燃料を使うことを許されない。

倫理的な問いというのは、答えること自体はそう難しくない。わたしたちに欠けているのは、その答えがもたらすものに深く考えをめぐらす能力だ。でも未来の世代について考えることを忘れてしまったら、彼らのほうはそのことをけっして忘れはしないだろう。

人間は生物的な性質として、もっぱら水平方向に、狭(せま)い視野でしか、自分のいまいる状況を認識できない。わたしたちはつねに、危険はないか、獲物(えもの)はいないかと、きょろきょろ周りに視線を走らせる。自分自身や近しい存在を守りたいというのは、人間がもつ本能だ。ところが、遠い未来の子孫に対しては、そういった本能は働かない。人間以外の種に対してなど言うにおよばずだ。

人間は生き物として、自らの遺伝子をより好むように深くインプットされている。けれど、四世代とか八世代あとに生きる自分の遺伝子を守ろうという本能は、備わっていないんだ。だから、わたしたちは学ばなくてはならない。世界人権宣言の全文を頭にたたき込まなければならないのと同じように。——もっとべつの言い方をするなら、その規範を完全に吸収し、自分のものとして身につけなければならないように。

人類の祖先にあたる種がアフリカで誕生して以来、わたしたち人類という小枝は、進化の木から切り落とされないように絶えず闘(たたか)ってきた。わたしたちがいまもこうして存在しているということは、その闘いはむだではなかったということだ。人類は種として繁栄することに成功した。あまりにも成功しすぎたため、いまや自分たちの生命基盤までをも脅かしている。成功しすぎたがゆえに、地球上のほかのあらゆる種の生命基盤を脅かしているんだ。

遊び好きで、独創的で、うぬぼれ屋の人類は、自分たちが自然の一部にすぎないことをいとも簡単に忘れてしまう。でも、わたしたちはほんとうに、地球の未来よりも目の前のゲームのほうが大切なくらい、遊び好きで、独創的で、うぬぼれ屋なんだろうか？

自分たちだけに目を向けることは、わたしたちにはもはや許されない。なぜなら、人間もまた自らが生きるこの地球の一部だからだ。それは同時に、わたしたちのアイデンティティの根幹でもある。

十代のころ、森のなかで眠り込んでしまったわたしが朝霧のなかで感じたのは、まさにそれだった。あのころはまだ、言葉ではうまく言い表せなかったけれど。

もし、わたしがわたしでしかなかったら――いまこうして座ってキーボードをたたいている、この体でしかなかったら、わたしは希望のかけらもないたんなる被造物（ひぞうぶつ）だっただろう。でもわたしには、この体と、地球に生きるほんの短い一瞬を超えた、より深いアイデンティティがあるんだ。

*

わたしたちは自分たちを生みだした文明に——その文化歴史的な環境に、大きく影響を受けて形づくられている。人がよく自分を「文化遺産の担い手」と呼ぶのもそのためだ。でもじつは、地球の生物学的な歴史もまた、わたしたちをおおいに形づくっている。つまり人間は遺伝遺産の担い手でもあるんだ。そう、わたしたちは霊長類だし、脊椎動物でもある。

人類が誕生するまでには何十億年もの年月がかかった。でもはたして、わたしたちは三度めの千年紀となる西暦二〇〇〇年代を生き残れるんだろうか?

時間とはいったいなんだろう? そこにはまず個人の時間という層があって、その下には家族の、そして文化および文字文化の時間層がある。さらにさかのぼると、その下には文字による記録が残っていない、地質時代と呼ばれる時間層がある。わたしたち人類は、およそ三億五千万年前に海から這い上がってきた四肢動物の子孫だ。そのいっぽうで、宇宙の時間軸にも属している。わたしたちは百三十八億歳の宇宙に生きているんだ。

　こういうさまざまな時間層は、意外なことに現実にはそこまでたがいにはっきり分断されているわけじゃない。わたしたちはごくあたりまえに、宇宙にいながらわが家にいるように感じることができるんだ。前にも書いたように、わたしたちが生きるこの地球の年齢は四十六億歳、宇宙の年齢の三分の一だ。そしてわたしたちの属する脊椎動物は、地球と太陽系のおよそ十分の一という年月を生きてきた。こんなふうに考えると、宇宙はじつはそこまで無限じゃないんだ。裏を返せば、わたしたちは地球や宇宙という土壌（どじょう）にそれだけ深くつながり根づいているということになる。

　もしかしたら人間は全宇宙で唯一、宇宙を意識できる存在なのかもしれない。このとてつもなく広大で謎に満ちた宇宙を、くらくらするような感覚でとらえることのできる、唯一の存在なのかもしれない。だから、この惑星の生命基盤を守ることは、地球に対する義務であるだけじゃない。それは、宇宙への義務でもあるんだ。

第13章

光学的化石

わたしたちはひとりぼっちでこの地にいるわけじゃない。微生物に、植物、菌類、動物——地球上のあらゆる生体と同じだけ長い歴史を、わたしたちは有しているんだ。ちょっと想像がつかないかもしれないけれど、人間はほんとうのところ地球上のほかのあらゆるものとつながっている。そのことを、わたしは人生のかなり早い段階で体感した。悩みを抱えて森のなかに潜り込んだ、あの日に。

二〇一九年、「生物多様性及び生態系サービスに関する政府間科学‐政策プラットフォーム」（ＩＰＢＥＳ）は初の地球規模評価報告書を発表した。この評価報告書が世界に示した調査結果は、衝撃的なものだった。地球の生態系は急速に破壊されつつあり、およそ百万種の動物や植物が絶滅の危機に瀕しているという。さらに五十万種が危機的状況にあり、長期的に生存できない可能性がある。これらの種の生息地はすでに大きく減少していて、なかでも影響の大きい種は「絶滅の運命にある」と記されていた。生息地があまりにも狭くなりすぎて、あと数年生き延びることも不可能だというのだ。地球上の動植物種のうち一〇パーセント近くが、事実上すでに絶滅したという。

　絶滅のおそれがある、いわゆるレッドリスト入りの動植物種を紹介する本は、年々きらびやかになるばかりだ。そこには「近絶滅種」「絶滅危惧種」「危急種」といったカテゴリーに入れられた生物種たちの、完璧なまでに美しいカラー写真が収められている。そして——運命の皮肉とでも言うべきか——そのいっぽうで出版されるのが、すでに絶滅した種の色鮮やかな写真集だ。コーヒーテーブルに置くのにぴったりな、美しい装丁の選りすぐりの本たち。こうした本には、数年前までレッドリストの最上位に入れられ、絶滅危惧種の本に紹介されていた生物の写真がそのまま掲載されていることが多い。撮影者も著作権表記も、まったく同じ。そして、その数は近年どんどん増えてきているんだ。

　いまわたしの目の前にあるのも、そういった豪華本のひとつだ。おそらく、この手の本としてはだいぶ初期に出たものだろう。きみたちもビョルンバイエンのわたしの家に遊びにきたとき、この本をぱらぱらとめくってみたことがあるかもしれないね。

　本のタイトルは『自然のギャップ：世界の絶滅動物の発見（*A Gap in Nature: Discovering*

the World's Extinct Animals)』、著者はオーストラリアの古生物学者であるティム・フラナリーだ。表紙にはドードーのイラストが描かれている。ドードーはかつてモーリシャス島に生息していた鳥だが、一六八一年に目撃されたのを最後に絶滅してしまった。さらに第一章には、一六〇〇年ごろにニュージーランドのマオリ族によって絶滅に追い込まれたモアという鳥類を描いたイラストも載っている。

だから、西洋人ばかりが地球の生物多様性を破壊してきたのだとも言えない。人は昔からずっと人間の本能に従って、狭い視野で目先の利益だけを考えて生きてきた。昔とちがうのは絶滅種の増えるスピードがとてつもない勢いで加速していることくらいだ。

いつかこういう美しい装丁の本に、「絶滅した猛獣（もうじゅう）」としてライオンやヒョウやトラのりっぱな写真が並ぶような日が来ないことを祈るばかりだ。――もちろん、ほんとうにそんな日が来ると信じているわけじゃない。だからこそ、わたしはこの文を書いた。皮肉なシナリオをあえて描いてみせることで、けっして起こってはならないと示すためだ。

もっとも、未来のそういう本の姿はありありと想像できる。きっとそこには、絶滅したありとあらゆる動植物種が色鮮やかな写真とともにまとめられているのだろう。

生物分類学にきっちりとのっとった章立てで。

第一章のタイトルは「絶滅した植物と菌類」だろうか。ページをめくると、そこには懐かしさを感じさせる写真が並んでいる。気候変動によって姿を消してしまった、高原に咲く可憐な花ばな。生育地である熱帯林が単一栽培用の農地に取って代わられたせいで、いまはもう絶滅してしまった東洋原産のランの写真もある。

第二章は「無脊椎動物」だ。この一見ぱっとしない生物たちについても、専門家はその絶滅前の姿をカタログに収め、詳細な図や写真によって記録していた。そのなかには、たくさんの花粉媒介昆虫も含まれている。人類が人工授粉というまったく新しい農業手法に全面的に頼らざるを得なくなるまでは、わたしたちの生活基盤を支える重要な存在だった生き物だ。いっぽうで、ここに載っている以外のたくさんの種が――たとえば熱帯雨林の生き物たちが――専門家が記録を残す間もなく死に絶えてしまった。

第三章は「魚類」だろう。いくつもの魚種が絶滅の危機に瀕していて、やがては完全に消えゆく運命にある。サンゴ礁はとりわけ海洋酸性化のせいで、どんどん死滅していった。海洋酸性化は海と大気の二酸化炭素濃度が上がることで引き起こされる、以前から警告されてきた災厄だ。そして、サンゴ礁という「海の熱帯雨林」が失われたことで、おびただしい数のカラフルな熱帯魚の種もいっしょに姿を消した。でも、そういった色鮮やかな魚たちの写真なら、昔の旅行雑誌や何かに載っていたのがまだ手元に残っている。おかげで、わたしたちは自分の子どもや孫たちに、その美しさをせめて少しでもおすそ分けできるというわけだ。ノルウェーの劇作家であるヘンリック・イプセンの戯曲『野鴨』に、こんな場面がある。宴に出ていた父親は、娘のヘドヴィのために料理を持ち帰るはずが忘れてしまった。だが彼はメニュー表をそっと拝借して持ち帰ったので、娘は自分が食べそこなったものの数かずについて知ることができるというわけだ。それどころか父親は、出された料理の味をくわしく説明しようとさえもちかけている（それにしても皮肉じゃないか。わたしたち人間が地球の生物多様性を本格的に破壊しはじめたまさにその時期に、写真やデジタル情報が普及して、それまで文字や言葉でしか伝えられなかった生き物たちの姿を生き生きと世に残せるようになったなんて）。

さて、第四章は「両生類」だ。とぼけたカエルやサンショウウオのカラフルな写真は、たぶんどこかで見たことがあるものだろう。IPBESの地球規模評価報告書によれば、地球上の両生類のおよそ四〇パーセントは危機的な状況にあり、そのうちの多くの種が絶滅危惧種のレッドリストの上位を占めていた。そしていま――この想像上の本のなかでは――彼らは豪奢な棺に寝かされて、いまやファウナ〔動物相〕文学の住人となっている。「ファウナ文学」って何かって？　そうだな、もうしばらくしたら、ファウナ文学とファンタジー文学の境界線はかなりあいまいになるだろう。そして子どもたちは、こう尋ねるんだ。「ねえ、こんなにへんてこな見た目の生き物が地球にいたってほんとう？　この地球に？」

　続いて、第五章は「爬虫類（はちゅうるい）」だ。予言しておくけれど、この章もきっとかなりの大作になるだろう。現在すでに希少になってしまったカメやヘビやトカゲが、色鮮やかな写真やイラストになって並んでいるのが目に浮かぶようだ。その多くは、太古の生き物のように古めかしく見える。そして実際、こういった種のいくつかは「生ける化石」とも呼ばれる古代生物なんだ。だが未来のいつの日か、彼らは「光学的化石」とでも呼ばれるようになるかもしれない。光学的化石というのは、完全に絶滅してしまい、もはや写真上にしか――つまり光学的な形でしか、その姿をとどめていない生き物のことだ。ちなみにだけれど、イスラム教の世界では、生き物を絵に描いた者は、その絵に命が宿るまで、神に罰（ばっ）せられるという。同じような罰（ばつ）がいつの日か人類にも下りはしないだろうか。ノルウェーのロマン派の詩人ヘンリック・ヴェルゲランもこう書いている。

第13章
光学的化石

きらびやかに着飾った蝶（ちょう）は
神の手から飛び立った
神は蝶に金の羽と
赤みを帯びた紫の紋様（もんよう）を授けた（……）
たとえ世界の王たちが集い
どれだけ掟（おきて）を定めても
神の力なくしては
蝶に羽を授けることはできぬ

さあ、第六章までやってきた。この章のタイトルは「鳥類」だ。これもまた色彩豊かな章になるだろう。ここに載っている珍（めずら）しい鳥たちのイラストの多くは、いまわたしの目の前のデスクに置かれている本（さっき話した『自然のギャップ』だ）にもすでにちりばめられている。少し前――つまり、たぶんこの想像上の大著が出版される百年くらい前になるのだろうけれど、ワールドウォッチ研究所の年次報告書に科学的根拠に富んだ一本の記事が掲載された。記事のタイトルは、「そして鳥たちは消えていく」。これはノルウェーの沿岸地域にもおおいに当てはまる表現だ。ノルウェー版のレッドリストによれば、いくつかの鳥種はすでに「近絶滅種」のカテゴリーに分類されている。さらに多くの種が「絶滅危惧種」に、それよりもっと多くが「危急種」または「近危急種」に指定されているんだ。

さて、この大著も残すところあと一章となった。そしてこの章は、多くの人にとっていちばん興味深いものとなるだろう。

第七章は、「哺乳類(ほにゅうるい)」。この章に載せられる美しいものは、たくさんある。たとえば、すぐに思い浮かぶのが「ナショナルジオグラフィック」誌にも掲載された、はっとするような大判の写真だ。そこには悲しい表情を浮かべたチンパンジーやゴリラやオランウータンといった類人猿たちの姿が――彼らが悲しそうなのも当然だ――写しだされている。こういった写真に、未来の若い子孫たちが子どもらしい情熱でのめり込む姿も、容易に想像がつく。それはいわば光学的な宝物庫だ。デジタル技術によって、そこには彼らの曽祖父の時代と変わらない、くっきりと鮮やかな光景が広がっている。だがそこに写る動物たちは、もう自然には存在しないんだ。写真が撮られた数年後には、絶滅してしまった。メルヘンの結び風にいえば、「こうしてだれもいなくなりましたとさ、お話はこれでおしまい」ということだ(実際、かつての地球は多様な生き物に満ちあふれていて、まさにメルヘンのようだったし、胸が痛いほどに美しかった)。古代の恐竜(きょうりゅう)

の記憶と、人間が絶滅に追い込んだ大型哺乳動物の記憶。このふたつのちがいは、哺乳動物のほうにはすばらしい写真がたくさんあるということだ（写真に収めるのだけは、なんとか間にあったわけだ）。恐竜や翼竜の解説書はたしかにおもしろいけれど、挿絵が想像にもとづくイラストや大ざっぱなスケッチばかりで、本としての魅力が半減してしまうことも多い。きっとそのうち、子どもたちの恐竜に対する興味は、絶滅した哺乳動物への興味にすっかり押され気味になるだろう。さらに小さな幼児向けには、絶滅哺乳類の絵合わせゲームなんかも売られるようになるはずだ！

　ここまでわたしは、いわばきみたちの目の前に陰惨な万華鏡を突きつけて、そのなかで織りなされる数かずの光景を見せてきた。でもそれは、地球の多様な生き物たちの運命に対する悲観的な考えを示したいからじゃない。そんな無気力に――そう、だって悲観することは無気力と同じじゃないか――流されることを自らに許してはいけないんだ。わたしたちは、戦闘モードに切り替わらなくてはならない。悲観は、怠惰や責任逃れと同じだ。この闘いはまだ終わっていない。だからまだ負けたと決まったわけじゃないんだ。人類はいまも生態系をひどく破壊しつづけている。わたしたち自身が、いままさに、それをしているんだ。

でもね、レオ、オーロラ、ノア、アルバ、ユリア、マーニ、愛するみんな。想像してみてほしい。もしこんなふうになったら、どんなにすてきだろう？　二十一世紀の終わりごろ、きみたちはこの部分をもう一度読み返す。そして、ばんざいしながら高らかに言うんだ。「やれやれ、おじいちゃんってば何言ってるんだろう。そんなひどいことにはなっていないよ！　地球の自然は昔と変わらないくらいには守られてる。ゾウはいまも大きな群れをつくってサバンナを移動しているし、トラやライオンだって絶滅なんかしていないよ」。そうして、こう考える。まったく、おじいちゃんは救いようのない悲観主義者だなあ！

ねえ、ほんとうにすてきな想像だろう。でもそれはけっして、ひとりでに現実になるわけじゃないんだ。

第14章 ラタトスク

地球上の生命が危機に瀕しているとしても、人類が古くから語ってきたさまざまな神話や宗教を考えれば、それは特段めずらしいことじゃない。いにしえの多くの宗教では、宇宙の秩序（ちつじょ）はもろくてはかないものと考えられていた。もともとは混沌（こんとん）があって、その混沌から秩序ある世界、すなわち宇宙が生まれた。でもその世界は、いつふたたび混沌に帰すともしれない。そう考えられていたんだ。

バイキングの時代には、生命の繁栄をもたらす善の力と、破壊をつかさどる悪の力とが微妙（びみょう）なバランスで世界を統（す）べていた。生命と豊穣（ほうじょう）をもたらす側に立つのは、アース神族やヴァン神族に連なる善の神々（かみがみ）だ。そしてもういっぽうの側には、恐ろしい混沌の勢力であるヨトゥンと呼ばれる邪悪（じゃあく）な巨人族がいた。

古代北欧（こだいほくおう）で想像されていた世界では、したがって、つねにこの巨人族に警戒（けいかい）しておく必要があった。トロールや古代の怪物（かいぶつ）とも言われる巨人族は、世界を混沌に陥（おとしい）れようと絶えずねらっている。それをけん制することが、人間と善の神々に課せられた使命だった。

古代北欧では、春も秋もひとりでにはやってこない。生命を授ける力には、人間の助けが必要なんだ。人間は「血のいけにえ」を捧げることで、神々に力と強さを授ける役割を担っていた。「血のいけにえ」とは、神々に力をゆだねるための祭礼的な儀式のことだ。

こういった儀式は、とりわけ豊穣をもたらすとされていた。豊穣をつかさどるのは主にヴァン神族で、そのなかでもとくに重要なのがフレイとフレイヤという兄妹の神々だ。いっぽうで、トールやオーディンといった神々を擁するアース神族の力を増強させて、破壊をもたらす悪の勢力の狡猾な脅しに対抗できるようにしておくことも必要だった。たくさんの巨人をはじめとする邪悪な勢力は、世界の秩序と平和を破壊しようとつねにねらっている。そんな混沌の怪物たちのなかでももっとも恐ろしく狡猾なのが、巨人族の王であるスリュムだ。

神々の叙事詩のひとつである「スリュムの歌」には、こんな物語が語られている。スリュムは、トールの持つミョルニルという鎚（ハンマー）を盗み取った。これはとても危険な状況だ。というのも、トールの鎚を手にした者は、世界の命運を握ったも同然だからだ。スリュムはこれを利用して、鎚を返してほしければ豊穣の女神フレイヤを妻に寄こせと要求する。だがフレイヤのほうは、その恥知らずな求めに激怒した。その怒りたるや、アース神族の住むアースガルド全土が震えるほどだったという。それに、あらゆる生命の源であるフレイヤが混沌の勢力の手に落ちれば、神々の世界アースガルドも人間の住むミッドガルドもかなりまずいことになるだろう。最悪の場合、神々の黄昏、「ラグナレク」と呼ばれる世界終末の日が訪れるおそれもあった（もっとも、このときはアースガルドのジェームズ・ボンド的存在であるロキが敏腕スパイさながらに活躍したことで、物語はなんとかハッピーエンドを迎えることになる）。

ここにみられるのは、現代で言うテロリズムと脅迫、それに野蛮な暴力行為の原型だろう。こういった行為はいまだに廃れていない。スリュムを思わせる現代版の道化師とでも言うべき存在は、ちょっと考えただけで何人も思い浮かぶはずだ。

古代北欧の不安定な世界秩序をよくあらわしているのが、世界樹ユグドラシルだろう。ユグドラシルは、世界を支えているトネリコの巨木だ。世界の健やかさや強さは、この木のありようと密接につながっている。もし世界樹が倒れれば、世界も崩れ去るということだ。

ユグドラシルもまた、混沌の勢力につねに脅かされている。木の根のところには恐ろしい竜のニーズヘッグが棲んでいて、世界樹を倒してやろうと絶えずその根をかじっているんだ。いっぽう、木のてっぺんには名のない鷲がとまっている。この鷲と竜のあいだを行ったり来たりしているのが、思い上がったリスのラタトスクだ。ラタトスクは世界樹の幹を上ったり下りたりと駆けまわっては、鷲と竜を絶えず焚きつけていさかいを起こさせようとしている。

このリスは、世界秩序を脅かす不安定さの象徴だ。ラタトスクに煽られた鷲と竜がいつ限界を超えてたがいに襲いかかり、世界樹が戦場と化す日がやってくるか――。そんな陰謀好きのリスたちが、いまではクレムリンとホワイトハウスのあいだを、あるいはもっと短い距離でホワイトハウスと連邦議会議事堂のあいだをせっせと行き来しているのが、目に浮かぶようだ。

いまのわたしたちには、望みを託せる善き神々はいない。だから、国際舞台でうごめくけんかっ早い乱暴者や扇動者といった現代の「ラタトスクたち」を抑え込むには、人間どうしでたがいに力を与えあって強くなるしかない。地球上の生命に対する脅威は、もはや神話の世界の話なんかではなくなっている。善の神々も悪のトロールも、どちらもわたしたち人間なんだ。

新型コロナウイルスによるパンデミックのことは、少し前にも話したね。この手紙を書いている時点で、わたしたちはもう一年以上パンデミックに苦しんでいる。ところが、このウイルスの感染拡大の恐ろしさを（または、有効な感染予防策を）信じようとしない人びとも存在する。そしておもしろいことに、そういう層の人びとは、人間を原因とする気候変動など存在しないと信じている層とぴったり重なるんだ。彼らは進化論も信じていないし、自分たちの望みに反するとなれば、民主的な選挙の結果だって信じない。その姿はさながら現代のトロールであり混沌の勢力だ。

　この混沌の勢力は、とりわけインターネット上で活発にうごめいている。まさに「ネットトロール」、いわゆる「荒らし」というやつだ。トロールたちは、人びとや国際社会のあいだに不安やいさかいを生みだそうと、日がな一日せっせと活動に励んでいる。混乱を引き起こし、デマを拡散しようと画策する、ストレスと鬱憤をため込んだちっぽけなトロールたちの集合体――彼らはまさに、陰謀好きなリスのラタトスクそのものだ。現代のトロールたちは匿名でばらばらに動くことを好む。けれどときには、自らの「トロール工場」を拠点に、組織的に活動することもあるんだ。

　子どものころのわたしは、人間は総じてみんな良い人なんだろうと思っていた。でも、いまはちがう。神話のなかで描かれる善と悪という区分は、人間にも当てはまるんだ。そうでなければ、神話のつくり手たちはどうやって、この二分構造を思いついたというんだ？

世のなかには、どんなときにも世界や他者の発展を後押ししたいと願う人たちがいる。ありがたいことに、わたしもこれまでに何人かそういう人に出会えてきた。でもいっぽうで、世界を転覆させたいと願っている人もいる。とくに、それがひっそりと匿名でかなうなら好都合だという人たちが。そういう人間にも、わたしは出会ってきた。痛い目にあわされたことも何度かある。

たぶんほとんどの人は、この両極のはざまのどこかにいるんだろう。だれのなかにもちっぽけなトロールは棲んでいるのかもしれない。そのことを、人生はわたしに教えてくれた。


親が子どもにしてあげられる、いちばん大切なこと、それは優しさと愛情をもって接することだろう。そして、にばんめに大切なのは、子ども自身が他者に優しく愛情をもって接することができるように教え育てることだ。弱い立場の人にも、動物にも、自然にも、そして次世代の人びとにも優しくできる人に育てること。こう言うと、なんだかあたりまえに聞こえるかもしれない。実際、これはあたりまえのことでもある。でもほんとうに大切なことというのは、言葉にすると意外とシンプルなんだ。

第14章
ラタトスク

わたしたちは読み書きを学ぶのと同じように、「他者に優しく、良い人になる」ことを学んでいく。これは、もう少し大げさに言うと「利他的」になるということだ。そう、わたしたちはけっして、何もしないでひとりでに「優しくて良い」人になるわけじゃない。

さて、若いきみたちは、これについてどう思う？

わたしは、だれもがときには——そうだな、たとえば週に一回は、鏡の前に立って、そこに映った自分の目を見てこう尋ねてみるべきだと思う。「自分は優しい人間だろうか？」「他者にとってのベストを望んでいるか？」「次世代に対しても？」「地球の多様な生き物を守るために、自分は何かできているか？」

すると、鏡が答えをくれる。こちらが目をそらしたりしないかぎり、鏡のなかの瞳はじっとこちらを見つめ返してくるはずだ。

世のなかおそらく、この鏡のテストに挑める勇気のある人ばかりではないだろう。わたし自身もいつもそうできるわけじゃない。そんなのばかばかしいと言って試しもしない人もいる。もっとも、それはちょっと臆病なんじゃないかとわたしは思うんだが。

ここまで古代北欧の神話をめぐって、さまざまな用語が出てきた。これらの単語の由来をみていくと、善と悪の戦いについて、いろいろなことがわかってくる。まずは巨人族を指す「ヨトゥン」という言葉からみていこうか。ヨトゥンにはもともと「大食らい」という意味があった。だれもが知っている「食べる」という単語や、「腐食する」、あるいは死骸にまつわる単語とも関連していて、さらに「肥満」を意味する英単語「obese」ともつながりがある。たぶん現代の混沌の怪物たちも、同じようにでっぷりとした大食らいなんだろう。わたし自身だって例外じゃない。もっとも貧しい者ともっとも富める者、飢えた者と飽食の者とを隔てる深い溝、それはいまの世に蔓延する不平等をはっきりと突きつけるサインなんだ。

いっぽう、自然と人間の豊穣を守る「ヴァン神族」の名は、古ノルド語で「美しいもの」を意味する「ven」、「希望」を意味する「venn」「vente」「von」に由来し、ローマ神話の愛の女神ヴィーナス（Venus）ともつながりがあるんだ。さらに、これらと同じ語族に属する「wini」という古いドイツ語の単語もあって、こちらは「友」を意味する。つまり、ヴァン神族という名は「信頼、希望、愛」をあらわしているとも言えるんじゃないだろうか。三つ葉のクローバーの花言葉と同じだ。そして地球の生態系や生物多様性を守りきるためには、この三つの葉すべてが必要になる。

るけれど。

もっとも、いまの世界では、この三つのいずれとも無縁な声や決定が飛び交ってい

ちょうど神話の話をしていることだし、ここでもうひとつ、わたしがとても重要だと考えていることについて話しておこう。

ときおり、こういう考えの人に出会うことがある。人類は地球上の生命を脅かしている、これはたしかだ。ということは、人類が絶滅することが、地球にとって最良の解決策になるんじゃないか――？

この考え方の源にあるのは、母なる地球（ガイアとも呼ばれる）は命ある生命体であって、自らの大気も、したがって「体温」も自己調節できるという理論だ。いま、ガイアは熱を出している。そして、ガイアの病の原因となった微生物が、わたしたち人間ということになる。だがガイアはいずれ、病原体であるわたしたちを体から追いだすだろう。いま起こっている気候変動は、そのプロセスの一環だというわけだ。

エイズやエボラ出血熱、それに新型コロナウイルスによるパンデミックも、これと同じ流れのなかで考えることができる。人間は生態系に侵入（しんにゅう）し、コウモリなどの野生動物たちを追いやって、その棲みかをどんどん奪っていった。その結果、動物の種を

越えて伝染する力をもち、それゆえ人類のあいだで感染拡大を引き起こす可能性をもったウイルスが生まれた——。つまり感染拡大は母なる地球ガイアの正当防衛であり、もっといえば復讐である、というわけだ。

人間はじきに絶滅するだろう、それもすべてはガイアのためだ、そう熱く語る人びとに、わたしは出会ってきた。人間がいなくなれば、自然はすぐにもとの健やかな姿を取り戻すのだから、と彼らは熱弁する。

たしかに、そのとおりだ。わたしたちがいなくなれば、自然は回復する。だが、そういう主張を受け入れるには、わたしはあまりにもヒューマニストでありすぎる。むしろ、そんな考えは一種の「エコファシズム」なんじゃないかと言いたくなるくらいだ。

人間はたんなる有害生物ではない。地球規模でみても、それにもしかしたら宇宙規模でも、わたしたちは完全に唯一無二の生命体なんだ。わたしたち人間の存在なしには——人間のもつ意識と、惑星と宇宙をめぐる記憶なしには、いまの地球の姿はない。たとえ人類が消えることで海と原生林が復活するとしても、それだけはたしかだ。

だから、わたしたち人間はふたつのことをどちらも成し遂げなければならない。海と原生林を救うことと、この先も地球の旅路をともに歩んでいくこと、このふたつを両立させなければならないんだ。

第15章 整形外科医と宇宙飛行士

もう何年も前の話だが、たった一か月のあいだに、疑り深い整形外科医と信じやすい宇宙飛行士に出会ったことがある。

最初に出会ったのは整形外科医のほうだった。わたしはそのとき膝が痛くて、その医師のところでレントゲンを撮ってもらった。整形外科医はレントゲン写真を見るなり、視線を上げてこちらを見やった。そして、こう尋ねてきた。あなた、アポロについてどう思いますか、と。

アポロについて……? なんのことだか、わたしにはわからなかった。アポロという名前の旅行会社なら知っている。それにもちろん、ギリシャ神話の神様のことも。だがそこまで考えたところで、相手の言おうとしていることに、はっと思い至った。もしかして、宇宙飛行計画のことを言っているんだろうか? NASAの月面着陸ミッションのことを?

そう尋ねてみると、整形外科医はうなずいた。それからほどなくして、医師とわたしは長い対話をくり広げていた。といっても、わたしの膝に関してじゃない。話題の中心は、わたしたちが月面に降り立ったことがあると「信じて」いるかどうかだった。彼の言う「わたしたち」とは、人類のことだ。

わたしは、自分がなぜそれを固く信じているかを説明しようとした。ところが、会話はすっかり水かけ論になってしまった。というのも、整形外科医のほうも同じくらい固く、月面着陸など嘘だと信じていたからだ。でも、アメリカが月をめぐる競争に勝利していない可能性が少しでもあるのなら、ロシアの宇宙開発当局がそのことを黙っているはずがない、わたしはそう主張した。

ほんとうはそんなことより、膝の痛みについて話したかったのだけど……。

医師には自然科学の素養があるはずだ。このときの膝の検査にだって最新の技術が使われている。だが、それだけの専門的な知識と経歴をもってしても、この人が安っぽい陰謀論を信じ込むのを完全に防ぐ手だてにはなりえなかったというのか？　一九六九年七月のあの歴史的な月面着陸が、じつはネバダ州の秘密軍事基地で撮影されたというデマを、はねのけるには至らなかったのか？　どうやら、そうらしかった。

それからわずか数週間後、わたしは実際に月に降り立った人物と知り合った。より

第15章

整形外科医と宇宙飛行士

正確には、アポロ14号の月着陸船に乗って月に降り立った人物と。その人物とは、一九七一年二月五日に月面着陸を果たし、その足で月の大地を踏みしめた六番めの人間となった、宇宙飛行士のエドガー・ミッチェルだ。

わたしは、ミッチェルがオスロ大学の大講堂で行った非常に興味深い講演に足を運んだことがある。しかも幸運なことに、講演後の晩には彼と直接話をする機会にも恵まれた。

ミッチェルは講演のなかで、自分が月面を歩いたときの写真を見せてくれた。ああ、あの整形外科医にもぜひこの場にいてほしかった、とわたしは思った。

講演のあとには質疑応答の時間があったのだが、そこでいちばん最初に出た質問に、わたしはいたたまれない気分になった。あなたは太陽系外の宇宙人が地球を訪れたことがあると「信じ」ますか、と質問者は尋ねたんだ。また例の「信じる」うんぬんの話か。わたしは、その場にいるのが恥ずかしくなった。はるばるオスロまでやってきて、月での写真を見せてくれたアメリカ人宇宙飛行士に対して、UFOやら「宇宙人」の来訪やら、そういう多かれ少なかればかげた質問を投げかけるなんて。たまたま近くの席には、ノルウェーの名高い宇宙飛行専門家でアポロ11号の月面着陸時に生放送でコメントしたことでも有名なエリック・タンベルグが座っていたのだが、彼もやはり気まずそうな顔をしていた。
ところが、ミッチェルは眉（まゆ）ひとつひそめたりすることもなく、イエスと答えたんだ。人類はくり返し宇宙人の来訪を受けている、彼はそう確信していた。そのことを示す明確な証拠も存在しているが、世界各国の当局があらゆる手を尽くしてそれを隠蔽（いんぺい）している（NASAは強く否定しているが）と信じていた。どうやら、ノルウェーのUFO愛好家のあいだでは、このオカルト的な宇宙飛行士を囲む小さなファン集団があるらしい。こういう質問が出たのも、そんな事情からだった。

ミッチェルは晩年、行き過ぎた軌道を多少修正している。二〇一四年に行われたインタビューでは、各国政府がUFOの来訪を隠蔽しようとしているという自らの主張について、純粋に推測によるものだと答えた。いっぽうで二〇一五年のインタビューでは、異星人は地球上の民族間の戦争を阻止（そし）し、平和維持に寄与するために地球にやってきたと主張している。

エドガー・ミッチェルは二〇一六年二月に亡くなった。

わたしの考えは、いまでも変わっていない。あの気さくな宇宙飛行士は、たぶん自分の考えをあまりにも強く信じすぎていた。UFOや宇宙人の来訪に関して、無邪気（むじゃき）

に信じ込みすぎていたんだ。彼は尊敬すべき宇宙トラベラーだ。けれど、この点に関してはまちがっていたのだと、わたしは思う。

居住可能性のある惑星どうしは、とてつもなく遠く離れている。宇宙でその距離を移動するとなると、光の速さをもってしても各駅停車のようなのろさに思えるだろう。でも、こんなふうに想像することもできる。宇宙には生命体によるなんらかの行き来があるというミッチェルの考えは、彼自身が月から帰還したときの体験にもとづいているんじゃないだろうか——なにしろ、彼は実際に宇宙を旅したんだから！ そのときの体験について、ミッチェルはオスロでの講演の終盤にこう語っている。

地球への帰還飛行中、ミッチェルには時間があった。月面での任務も終わり、あとはただ何にじゃまされるでもなく、壮大な光景を楽しむことができた。

すでに月面に降り立って頭上に浮かぶ地球を見上げたそのときから、彼はある感覚に心打たれていた。宇宙から地球を眺めた宇宙飛行士の多くが体験するという「オーバービュー効果」だ。

「宇宙から地球を見ると、たちどころに地球への意識が生まれ、人類全体に目が向きます。そして、世界の現状を深く憂い、それを変えるために何かしなければという気持ちになるのです。月から地球を眺めたら、国際政治などまるでちっぽけなことに思えてきます。政治家の袖をぐいとつかんで、二五万マイル上空の月まで引っぱり上げて、こう言ってやりたくなる。卑劣なやつめ、この光景を見てみろ、とね」

月から地球に帰還する旅路でミッチェルの心を震わせたのは、圧倒的な幸福感だった。自分は宇宙にたったひとりではないのだという感覚。彼はそれを「エウレカ体験」「悟り」「エクスタシー」といった言葉で表現している。自分はすべてのものとひとつだ、彼はそう感じた。そして、宇宙には存在と意識があふれているのだと確信した。

人類の歩む方向は、四百年ほど前に少し脱線してしまったのだとミッチェルは言う。この時代の物質主義的な科学は、わたしたちの存在における精神的な側面に影を落として覆い隠してしまった。もちろん、人間は物質からなっている。なぜなら、すべては星屑から生まれたのだから。けれど、わたしたちは同時に意識であり、より深いレベルでは、それまで考えられていたよりもずっと強くたがいに結びついている。それぞれが別個の存在でありながら、同時につながりあっている。ミッチェルはそんなふうに語った。

宇宙飛行士の話を聞きながら、わたしの思考は森のなかで一夜を明かしたあのときへと舞い戻っていた。あれは、ちょうどいまのレオくらいの歳のころだ。わたしはあのころ人生で一度だけ、少しのあいだではあるけれど、世界から自分を切り離していた。こんな世界とはもう一切関わりたくないと願っていた。そして、まさにそんな時期に、いまこのアメリカ人宇宙飛行士が大講堂の演壇で語っていることと、とてもよく似た感覚に圧倒されたんだ。

わたしもまた、あの凝縮された一瞬に、あらゆるものとひとつになる感覚を覚えた。わたしはこの世界をつかの間訪れているだけじゃない。世界そのものなんだ。そしていつの日か、このちっぽけな「わたし」が朽ち果てても、わたしという存在は消えることなく在りつづけるだろう。

第16章 九つの脳

夏のあいだに家族で訪れていたヘングセンの山荘で、わたしはまだ幼いうちから満天の星には不自由しない甘やかされた暮らしを送っていた。「甘やかされた」と書いたのは、澄(す)みきった夜空がいまでは一種のぜいたく品になってしまったからだ。当時はむしろ、それがあたりまえだったんだが。

ろうそくや灯油ランプの灯を吹き消したら、もうほかにじゃまになる明かりはない。雲のない夜に宇宙へのまなざしを妨(さまた)げるものは、月明かりか、あとはごくまれに現れるゆらめくオーロラくらいだった。

もっとも、それももう昔の話だ。いまでは遠くのスキー場の照明が明るくて夜空が見えにくくなったし、山の斜面には樹木も生えないくらい標高の高いところよりさらに上まで電気照明の明かりが迫っている。

それでも、星はまだ見えるけれど。

第16章
九つの脳

わたしは小さいころから、それこそ天文学的な知識などこれっぽっちもないころから、そんな夜空の眺望（ちょうぼう）に何かしら惹（ひ）かれるものを感じていた。あの星空のずっとずっと向こうには、ひょっとしてだれかが暮らしているんだろうか？　そして、ちょうどいまの自分と同じように夜空を見つめているんだろうか？　宇宙のどこかでだれかがこの地球の太陽のことを、無数の星のひとつみたいに見上げているんだろうか？

もしかして、あのずっと向こうには小さな女の子か男の子がいて、いままさにこっちを見ていたりして――幼いわたしは、そんなふうに思っていた。

そのころのわたしは、宇宙に「いま」なんてないことを知らなかったんだ。それに、宇宙にはたぶん、女の子も男の子もいそうにないということも。

おとなになったいまのわたしは、もっとちがう言い方で、こんなふうに自問する。

意識は、宇宙の偶然なんだろうか？

この惑星に生命が誕生したことは、宇宙でほかに例のない唯一無二のできごとだったのか？　それとも、それは宇宙における一般的な現象であって、つまりはまったくふつうのことなのか？　原子や恒星や惑星といった生命誕生のさまざまな前提条件と同列の、宇宙の性質のひとつなんだろうか？　この問いについては、少し前にすでに触れたね。

では、意識についてはどうだろう？　意識はそもそも、宇宙のいたるところに広く生まれうるものなんだろうか？　もしそうだとしたら、それは宇宙の根幹的な特徴のひとつということになる。あのアメリカの宇宙飛行士が信じていたのも、そういう考え方だ。

それとも、わたしたちのような意識をもった生命体は、地球の生物圏以外では生まれえなかったんだろうか？

言ってしまえば、答えはだれにもわからない。でも、この問いの立て方自体はそう悪くないだろう。なぜなら宇宙の歴史において、意識は何度もくり返しぱっと燃え上がってきたか、そうでないか、このどちらかだからだ。ここで「ぱっと燃え上がった」と書いたのには理由がある。進化の歴史に必要な数百万年という時間は、宇宙の尺度でみれば、どうあってもささやかな期間でしかない。なにしろ人類とチンパンジーの進化の道が分かれてから、まだ六百万年しかたっていないんだ。


ところで、そもそも意識とはなんだろう？

昆虫や甲殻類は優れた感覚器官をもっているけれど、わたしはそれらから得られる感覚を「意識」だとは思わない。たしかに、マルハナバチやウミザリガニは、その体の内に自らを感じ、自分が「在る」のを感じることができるだろう。自分が花から花へ飛びまわるのを、あるいは岩だらけの海底を這っているのを、つまりは自身が生きているのを感じ取ることができるだろう。でも、そういった身体的な知覚を、彼らはたぶん「意識」はしていないはずだ。それにしても、考えてみると不思議じゃないか。自然のいたるところで、草むらを、木の上を、海底を、たくさんのものが這ったり飛びまわったりしている。なのに、それらはこんなにも「無意識」だなんて。

犬には意識がある、これはまちがいない。馬もだ。それにわたしは、前提としてシジュウカラやリスにも同じことが言えると思っている。でも、カエルや魚に特筆すべき精神生活があると思えるかというと、それは少し難しい（もっとも、こうした生き物にも神経系はある。だから痛みも感じるし、おそらくは苦しみも覚えるだろう）。

犬や馬は、意識的な思考やイメージも（野性的なとっさのものとはいえ）もちあわせている。では動物の頭のなかというのは、どんなふうになっているんだろう？　犬や馬は、恐れや喜び、それにたぶん悲しみや喪失感も感じることができる。でも、「犬の思考」と「馬の思考」はぜんぜんちがうものなんだろうか？　それとも、個体の差（たとえば、個々の犬ごとの思考のちがい）が、高等哺乳動物の種のあいだでみられる構造的な差と同じくらいに大きいんだろうか？　わたしには、答えはわからない。ただ、犬は馬よりはるかに優れた嗅覚をもっていて、これをくわしい「地図」代わりにして位置や方向を認識できる。つまり犬の場合は、一般的な知能に加えて、この能力が上乗せされているわけだ。

さまざまな動物がどのくらい「自己意識」をもっているかという点も、考えていい（それに、もっと研究していい）だろう。わたしたち人間以外で、たとえば鏡に映った自身の姿を見たとき、それを自分だと認識しているサインをはっきり示す動物は少ない。この「ミラーテスト」に合格し、自己を意識する能力があることを示したのは、いくつかのサルの種と、イルカ、ゾウ、それにカラスの仲間くらいだ。

カラス科のカササギは、鏡に映る鳥の体に色つきのステッカーが貼られているのを見つけると、それが自分の羽毛についていることをきちんと認識して、はがしたり振り落とそうとしたりする。いっぽうほかの鳥や動物たちは、鏡像に襲いかかったり、捕食しようとしたりする。鏡のなかの見慣れない生き物が自分自身だとわからないからだ。

こんなふうに一部の動物は自己を意識できるとはいえ、動物の意識と人間の意識のあいだには、やはり大きな隔たりがある。人間の意識が向かう先は、自分自身や近しい親族、それに自分の生存領域だけにとどまらない。わたしたちは、動物のそれよりはるかに優れた意識を有しているんだ。その能力のおかげで、人間は自らの生きる宇宙を認識することができる。そんなことができるのは、少なくとも地球上では、わたしたち人間だけだ。

わたしは子どものころから、人間がある種の「完全な」意識を有していることに驚いていた。わたしたちは、完全に「目の覚めた」状態でそこにいるんだ。

人間は周りの自然から距離をおくことができるという、種として固有の能力をもっている。わたしたちは、お粗末な脳に閉じ込められてはいない。心ここにあらずの状態でぼんやりとその辺をうろついたりもしない。もっとも、眠っているときには（夢遊病状態でうろついているか、おとなしくベッドに寝ているかにかかわらず）そういうこともあるけれどね。

これに関して言えば、夢のなかで例の「心を読む男」にひっかかってしまったのは、われながらちょっと恥ずかしい。もっとよく注意して、疑いの目をもっておくべきだった。そうすれば、あの背の高い男との出会いも、ただの夢だと気づけたのに。でも、もし起きているときに、頭が回らないばかりに一杯食わされていたとしたら、そのほうがもっと恥ずかしかっただろう。

単純すぎるかもしれないが、わたしは、世界はわたしたちが体験したままに在ると思っている。人間は絶えず空想に迷い込んでいるわけじゃない。わたしたちには感覚器官と意識があって、それらはそれぞれの役目を果たしている。といっても、やっとのことで、だけれど。「水面ぎりぎりのところで、どうにか顔をのぞかせている」と言ったほうがいいかもしれない。どういうことかというと、人間は自分の生きるこの世界について、それ相応の全体像をなんとか手に入れた。この宇宙全体を把握できるかのように思えるほどに、知性を発達させた。それでもなお、宇宙の謎はわたしたち人間の頭をくらくらさせるんだ。

わたしたちに理解できないことは、まだまだたくさんある。この手紙を受け取ることになるきみたちが、世界について、いまよりずっと多くのことを知る日もいつかきっとくるだろう。それでも、真の「宇宙の謎」はきっと解けないままに残されているはずだ。

とはいえ、人間の知覚が——あるいは人間の知性、伝統的な科学的知識、知的共有財産といったものが、わたしたちを欺いているのだとは、わたしは思わない。人間の頭脳というのは、じつに精密に組み立てられているんだ。この惑星の東の地平線から太陽が昇る光景を見ても、人間はもう簡単にだまされたりはしない。頭のなかにふたつの思考を同時にもつことができる。昇りゆく朝日をあるがままに味わいながらも、「太陽が地球の周りを回っているのではなく、地球のほうが自転しながら太陽の周りを回っているのだ」という事実をはっきり認識できる。

それにしても、思えばなんて不思議なんだろう。わたしたち人間の意識は、この宇宙全体におよぶばかりか、その宇宙の成り立ちを百三十八億年前のビッグバン直後までさかのぼって認識することさえできるんだ。ビッグバン発生からほんのコンマ何秒後までたどったところでようやく、越えられない認識の壁が現れる。

だから、ビッグバンの「前に」何があったかという問いを立てることは不可能だ。少なくとも、その問いに答えを得られると期待してはいけない。ビッグバンが起こったとき、時間と空間が生まれた。いっぽうで、実質上の「創造の瞬間」であるとされてはいるけれど、ビッグバンが万物の始まりであるとは必ずしも断言できないんだ。ビッグバンだって、ひとつの状態からべつの状態への厳然たる連続現象だったかもしれない。

まあ行き過ぎた問いを立てるのは、この辺でやめにしておこう。

わたしは長いこと思考をさまよわせていると、ときどき、とてつもなく壮大な問題にすっかり没頭（ぼっとう）している自分に気づく。たとえば、こんなことを考える。宇宙は、自らの意識をもっているんじゃないか。――つまり、わたしたち人間を通じて。それどころか、おそらくは、あらゆる星に生きる、ほかのさまざまなものの意識を通じて。

こんなまわりくどい言い方をするのは、「宇宙が自らの意識をもつ」なんて表現を見たら顔をしかめるであろう自然科学者に何度も出会ってきたからだ。たぶん、彼らは先入観から、この文に書かれてもいないことを読み取ってしまうのだろう。つまり、あたかも宇宙に「考え」とか「目的」があって、いつの日か壮大なまどろみとでも言うべき状態から目覚め、ついには自らを認識できる意識を手に入れようとしている、と解釈してしまうんだ。でも、わたしが言いたいのはそういうことじゃない。

そう、宇宙にはたしかに意識があるんだ。といっても、それはここ――つまりわたしたちの内に、ということだけれど。それでも、これは確実な事実だ。そして、すばらしいことでもある。最高じゃないか、とわたしは思う。この事実ひとつをとっても、派手に音を立ててシャンパンを開けていい。

言い換えるなら、わたしがかつて『マヤ』に書いたように、「宇宙を見つめる目は、宇宙そのものの目」ということだ。べつのところでは、こうも書いている。「ビッグバンは、百五十億年後にやっと喝采（かっさい）を浴びるのだ」

というのも、宇宙に生まれつき「精神的な力」のようなものがあったとは、わたしは思わないからだ。だって宇宙が生まれたとき、生命はまだ存在していなかったのだから。それから、意識の誕生が必然的で避けがたいプロセスだったのか、あるいは逆にあらゆる可能性に反して起こったのかについては、ここでは意見を差し控えさせてもらおう。

問題は、これと同じような「宇宙意識」が、宇宙のどこかべつの場所でも、多かれ少なかれ並行して生まれているのかどうかだ。そういう状況を想像するのは、わたしにとってはそう難しくない。宇宙に「いまという平面」がないことは、すでに確認したね。でも、もしかしたら「認識の平面」は存在するかもしれない。つまり、宇宙という時空連続体において、わたしたちの文明で知られているのと（ほぼ）同じような科学的世界観が、くり返し発生してきた可能性も考えられるんじゃないだろうか。もっとも、これについてはまだ議論の余地があるし、わたしにもたしかなことは言えない。でも、宇宙における重要性を考えれば、たとえばビッグバン理論が人類特有の考えだなんて、おかしな話じゃないか（ただし言っておくと、これはビッグバン理論とそこから導きだされる結論が正しければの話だ）。

同じことは元素の周期表についても言える。なぜなら、原子も素粒子も宇宙の普遍的な現象だからだ。

わたしたち人類は、自分たちがそう思いたいほどには唯一無二の存在ではないのかもしれない。つい最近まで、人間は地球が——つまり自分たちが、世界の中心だと信じ込んでいたんだ。

前にも少し触れたけれど、きみたちが生きているあいだに、宇宙のどこかに知的生命体が存在する証拠が発見されるというのは、けっしてありえない話じゃない。それどころか、そう可能性の低い話ですらないだろう。電波天文学は今後さらに進歩するだろうし、地球外知的生命体の探索も続いている。そんなふうに考えると、わたしのような老人は、すごく心が躍るんだ。

ただし、地球外生命体との遭遇がそう喜ばしいものとはかぎらないことも、ここで付け加えておくべきだろう。そのことを警告している映画はたくさんあるし、それに宇宙物理学者のスティーヴン・ホーキングもこんな内容のことを言っている。「わたしたち自身を振り返ってみるだけでも、できれば関わり合いになりたくないような進化を遂げた知的生命体がいるであろうことは想像がつく」と。

いっぽうで、宇宙の意識という壮大なものの一部を担っているのが、どうやら自分たちホモ・サピエンスの末裔だけらしい、という考えを徐々に受け入れていかねばならないとしたら、それはそれで気の滅入る話じゃないか。もしそうだったなら——もし、わたしたちのもつ宇宙の理性が、宇宙の片隅のたまたま選ばれたこの場所にしか存在しないものだったなら、わたしたちは丸裸で危うい状況に立たされていることになる。こんなにも大きくて唯一無二のものは——このとてつもなく広大な宇宙全体の自意識は、わたしたちだけの責任で支えていいようなものじゃない。少なくともわたしは、宇宙の黄金の卵が人類というちっぽけなバスケットにまとめて入れられていると思うと、あまりいい気はしないね。

まあどのみち、わたしたちの時間はかぎられているのだけれど。なにしろ、いずれ太陽が巨大な火の玉と化して、周囲の冷えた惑星を貪欲にのみ込んでいくときがやってくるのだから。

宇宙の尺度で考えると、生命は意識よりはるかに広く普及していると言える。生命は、意識が存在するための必須条件だ。けれど、生命があればそこに必ず意識が生まれるわけじゃない。なにしろ地球上にちっぽけな単細胞生物以外の生物が生まれるのにさえ、とてつもなく長い年月がかかっているんだ。

いまからおよそ五億年前、複雑な感覚器官と豊かな神経系を備えた生物の進化が一気に加速しはじめる。それにともなって、ついにはある種の意識も生まれることになった。それは、いわば生き残りをかけた「軍拡競争」だった。ダーウィンの進化論にのっとった生物学的な競争だ。多細胞動物のコロニーが確立すると、生まれてくる子孫には必然的に変異が多く現れるようになる。そして、生存競争における自然選択を原動力に、より細分化された感覚器官をはじめとする新たな特質がどんどん発達していった。

生存をかけた闘いにもっともうまく対応できた変異個体だけが、生き残り、たくさんの子孫を残すことができる。ダーウィンの進化論が普遍的に有効と言えるのは、そのところにとにかく説得力があるからだ。

ただし、いくら普遍的といっても、宇宙における生命の存在については、まだ何もわかっていない。実際に何らかの発見があるまでは、これはあくまでも可能性の話ということになる。おまけに、宇宙はとてつもなく広いんだ。とはいえ、もし宇宙にさまざまな種類や形の生命が広く存在していると考えられるとして、そのなかに知的生命体がいる可能性ははたしてどれくらいだろう？　質問のしかたを変えてみようか。次のふたつのうち、より確率が高いのはどちらだろう？　1．宇宙の不毛な環境下で生命体が生まれる確率。2．いずれかの時点で、生命体のなかに意識が生まれる確率。

2は、宇宙に生命が誕生する確率を計算しようという1と同じかそれ以上に、推論上の問題に思えるかもしれない。なにしろ、どちらについても経験的な証拠はひとつもないんだから——そう思うだろう？

ところが、じつはそうでもないんだ。おそらく地球上でも、いくらかの経験例を集めることはできる。この惑星では、意識は普遍的、つまりは「ユニバーサルな」現象だということがしばしば示されてきた。地球にはきわめて多様な神経系が生まれ、多かれ少なかれたがいに独立した形で進化してきたんだ。

いくつかのカラス科の鳥たちは、人間と似たような記憶力や意識的な計画性、それに問題解決能力を有していると言われる。だとしても、両者の進化の道はあくまでも平行だ。何億年もの時をかけて、たがいに無関係な形で独自に進化していった。鳥類と哺乳類が交わる点を探そうとしたら、進化の過程をかなりさかのぼって、初期の爬虫類のあたりまで戻らなくてはならない。そして爬虫類には、とりたてて意識や知性はみられない。ということは、哺乳類の脳は鳥類の脳とはまったくちがう成り立ち方をしているということだ。

軟体動物と哺乳類との進化生物学的な差（それに年代的な差）は、それよりもさらにずっと大きい。ところが、神経生物学者はその軟体動物であるタコの神経細胞を研究することで、人間の神経細胞を――さらには意識をより深く理解しようと試みているんだ。タコの神経系は、哺乳類やその他の脊椎動物の神経系とはまったく異なるつくりをしている。構造がちがうというか、発生のしかたがちがうんだ。

　タコはおそらく、もっともエイリアンに近い見た目をしている（ちなみに、ここは研究者の発言どおりだ！）。なにしろタコには三つの心臓と八本の腕、そして九つの脳があるんだ。この奇怪（きかい）な軟体動物は八本の腕それぞれにひとつずつ脳をもち、さらに頭部にメインの脳をもつ。だが、この九つの脳は神経ネットワークのようなものを形成していて、たがいに情報をやり取りできるんだそうだ。

　そういうわけで、姿形もさまざまな色とりどりの生き物にあふれた豊かな星があったなら、そこにはきっと、さまざまに形の異なるたくさんの意識が見つかるはずだ！

　たくさんの微細な疑問をべつにすれば、現代の自然科学はふたつの大きな謎に直面している。その謎とは、「宇宙の誕生からコンマ数秒のあいだに何が起きたのか？」と、「意識の本質とは何か？」だ。このふたつの大きな謎のあいだに、なんらかのつながりがあると考えるだけの根拠はない。けれどいっぽうで、そこにつながりがないと言い切ることもまたできないんだ。

第17章

いま問うべきこと

わたしが人生から何か学んだことがあるとすれば、それは「人は人であり、どこまでも人である」ということだ。文化的なちがいという薄い膜(まく)のその下をのぞけば、人間のものの考え方は人によってそこまで大きくはちがわない。わたしたちはたくさんの似たような欲求を抱え、しばしば同じ哲学的問いに頭を悩ませる。そして、この問いはふたつのカテゴリーに分けることができる。

ひとつめは、自然科学にまつわる問いだ。なかにはすでに解明済みの問いもあるけれど、いっぽうで人類にはまだ答えがわからない問いも多い。そのうちのいくつかは、すでに紹介したね。たとえば、こういった問いだ。ビッグバンとはなんだったのか？　宇宙はどんな性質をもっているのか？　この地球に意識をもった存在が生まれたのは、純粋に偶然なのか？　宇宙のさまざまなところに、宇宙の意識のようなものが形成されている可能性はあるか？　そういった宇宙の意識は、どこでも同じものなのか？　それとも、宇宙のどこかべつの生命体のほうが、わたしたちよりも世界の神秘をより深く見通せるんだろうか？

それにしても、答えに手が届かないのに、こういった問いを立てる意味はどこにあるんだろう？　きっと昔の人たちは、そんなの月の裏側についてあれこれ議論するくらいむだなことだ、なんて言っただろうね。

なぜなら、月は地球の周りを一回公転するあいだにきっかり一回自転するため、いつでも地球に同じ面だけを向けているからだ。そのため、人類は長いこと月の裏側を見たことがなかった。だが一九六八年十二月に三人の宇宙飛行士を乗せたアポロ８号が月の周回軌道に入って以来、月の裏側はもはや神秘の謎ではなくなったんだ（正確を期すために言うと、一九五九年にはすでにソ連の探査機ルナ３号が月の裏側を世界で初めて撮影している）。

月の裏側をめぐる問いは、ほんの一例にすぎない。ほかにも過去に大きな謎だったけれど、現在はもう解明された事柄はたくさんある。たとえば、こういった謎だ。

南極にはどんな光景が広がっているのか？　ヒマラヤの山脈はなぜあんなに高くそびえているのか？　南北アメリカ大陸の東海岸線と、ヨーロッパとアフリカ大陸の西海岸線がパズルのようにぴたりと合わさるのはなぜか？　火山の噴火はなぜ起こる？　なぜ太陽は熱を発するのか？　星はどうやって生まれた？　そして、星は死んだらどうなるのだろう？　彗星（すいせい）とは？　太陽系の外にも惑星はあるか？　わたしたちの住むこの地球はどれくらい昔からあるんだろう？　原子はどうやって生まれ、どんな物質で構成されているんだろう？　生命とは何か？　たくさんの動物や植物の種は、どうやって生まれたんだろう？　遺伝する素質とは？　人間はどうやって誕生したんだろう？　なぜわたしたちは病気になるのか？　伝染病の拡大はなぜ起こる？

　これらはその昔、人類にとって大きな謎だった。けれどいまでは、そのすべてについてある程度詳細な答えがわかっている。ほんの百年前と比べて、人類は世界についてどれだけ多くを知ったことだろう。そう考えると、わたしは驚嘆してしまう。

　それを可能にしたのは、「月の裏側」について想像をめぐらすことを恐れなかった人間の姿勢だ。そして、いまもわたしたちは、さまざまな謎について想像をめぐらしている。きっと二十一世紀が終わるころには、そういった知識の空白部分の多くが、さらに埋（う）まっていることだろう。

　さて、ふたつめのカテゴリーに入るのは、生きることにまつわる哲学に関する問いだ。このカテゴリーの問いには明確な答えがない。もしかしたら未来永劫、答えは出ないのかもしれない。それでも、こうした問いについて考えることは、人間にとってとても大切なんだ。

良い人生とは何か？　公正な社会とはどんな社会か？　愛とは何か？　友情とは？　ふたりの人間を同時に愛することはできるだろうか？　他者への責任とは何か？　わたしたちはなぜ何かを美しいと感じ、またべつの何かを醜いと感じるんだろう？　許すとはどういうことで、だれかを許すべきときとは、どんなときだろう？

これらの問いに最終的な答えはない。どんなときにも当てはまる普遍的な、永遠の答えも。それでも、こうした問いを立てることは重要だ。なぜなら、「良い人生とは何か」を自問することなしに、良い人生を送ることは期待できないからだ。同じように、「公正な社会とはどんな社会か」を定義しないことには、公正な社会はつくれない。インターネットの出会い系サイトでもいっしょだ。あらかじめ「愛とは何か」をよく考えておかないと、めぼしい成果は望めないだろう。

たしかに、人生において幸運というものはある。ここで言う幸運は、不運の対義語、つまりラッキーという意味だ。でも同時に、「どう生きるか」という要素もたしかに存在している。わたしたちはある程度までは、自分の人生に責任を負っているんだ。

わたしが小中学生や高校生だったころ、学校の授業には「道徳」の時間があった。

第17章
いま問うべきこと

この授業では、ひとつのテーマについてクラス全体で長い時間をかけて話しあう。そしてわたしの記憶が正しければ、話しあいのテーマはだいたいが「やってはいけないこと」ばかりだった。たとえば、他人を傷つけたり、なんらかの形で害を与える、といったものだ。

あるときは、「やむをえない嘘はついていいのか?」を議論した。ほんとうのことを伝えれば相手が悲しんだり絶望したりする場合、嘘をつくのは許されるのか。それとも、どんなときもつねに真実を伝えるべきなのか。わたしたちはヘンリック・イプセンの戯曲『野鴨』を読んで、親友の人生を壊してしまうであろう真実を、あるがままに伝えたグレーゲルス・ヴェルレの行為は正しいのか否(いな)かを議論した。

長い議論のなかでは、日常からほど遠い問題を話しあうこともあった。たとえば、ときには教師からこんな質問をされた。「きみたちはいま捕虜収容所(ほりょしゅうようじょ)にいる。この収容所では百人が処刑(しょけい)されるが、もしきみがその残虐行為(ざんぎゃくこうい)を引き受ければ、処刑される人間は五十人ですむ。これを引き受けることは、倫理的に正しい行為と言えるだろうか?」

いっぽうで、こんなふうに尋ねてくれる教師は、わたしが覚えているかぎりひとりもいなかった。「この世界に生きられるたった一度のチャンスに、きみたちは自分の人生をどう使いたい？　何か特別なことを成し遂げたいかい？　解決のために自分も力を貸したいと思うような問題はあるかな？　それから、人生でいちばんやり遂げたいことはなんだろう？　きみたちの考える良い人生とは何か、グループで話しあってみよう。ちょっと大げさすぎると思うようなことでも、どんどん言ってみて。でも最終的には、人生で掲げたい目標を少なくとも三つ、まとめてもらうよ」

そんなふうに自分の幸福に自分で責任をもつ生き方を、わたしたちは教わってこなかったんだ。わたしが生まれ育ったここノルウェーは典型的なキリスト教プロテスタントの国で、そのうえ当時は労働運動の思想にも色濃く影響を受けていた。それは、つつましさと、遠慮と、連帯の文化だ。これらはたしかに大切な美徳でもある。ただし、そこにさらに加わっていたのが、いわゆる「ヤンテの掟」と呼ばれる、北欧諸国に特有の価値観だ。これはアクセル・サンデモーセの小説に出てくる架空の村の掟がもとになっている。たとえばこんな感じだ。「自分が特別だと思ってはいけない」「自分が周りよりも優れているなどと思い込んではいけない」「自分が何かに長けていると思ってはいけない」……。

人生に高い目標を掲げるなんて、まるでとんでもないことのように当時は思われていた。こういった目標は、正しいかまちがっているかの単純な図式には当てはめられない。ただ、自分にとっての最善をめざしながら、同時に他人にも最善を望むことは、けっして矛盾した姿勢ではないんだ。むしろ、その正反対だとわたしは言いたい。自分に対してある程度すっきり整理がついている人のほうが、他者にすんなり助けの手を差し伸べることができる。そうでない人は、人生がごちゃごちゃと混乱しているものだから、自分の心配事ばかりに気が向いてしまうんだ。

何が人を幸せにするのか――あるいは、良い人生とは何か？　わたしたちの文化圏において、この問いにとりわけ向き合ってきたのが、古代ギリシャの人びとだ。そしてこの問いこそ、だれもが自分に投げかけるべき問いではないかと、わたしは思っている。

もちろん、人はときに傷つけあう。たがいに足を踏んづけあうこともあるだろう。それはおたがいの暮らす距離が近すぎるからだったり、むしろ相手を慈しんでいるからこそだったりする。でも、わたしが思うに、ほとんどの人は他者よりも自分を傷つけてしまう危険を抱えているんだ。

だからね、愛する孫のみんな、わたしはきみたちが友だちの足を払って転ばせて楽しむような人間になることよりも、自分の足につまずいて転んでしまうのではないかということを心配してしまう。

ノルウェーの有名な児童文学で劇にもなっている『ゆかいなどろぼうたち』のなかに、「カルデモンメの掟」というのが出てくる。

他人に迷惑をかけず
みんなに優しく親切に
それさえできたら、あとはなんでも
好きなことをしていいさ

じつにすてきでいい掟だと思うんだが、わたしとしてはひとつだけ変えたい言葉がある。最後の一文は、こうしたほうがいい。「それさえできたら、あとはなんでも好きなことをするべきだ」とね。つまり、それもまた倫理的な義務だとわたしは思っている。わたしたちは自分の好きなことを「していい」だけじゃない。好きなことを「するべき」なんだ(それによって他人が傷つかないかぎりは、だけれど)。

*

第17章
いま問うべきこと

もうずっと前のことだが、ある催しに講演者として招かれて、大勢の前で話をしたことがある。それは、主催者いわく「若者のための哲学の集い」だった。この催しでは、まず舞台上で司会者から短いインタビューを受ける。それから聴衆にも参加してもらって議論をすることになっていた。

本番前、わたしは司会者の女性といっしょに舞台裏の楽屋に控えていた。そして舞台に呼びだされるまで、ふたりで軽く雑談を交わしていた。ところが、彼女はふとあらたまったようすになって、意を決したようにわたしを見つめ、こう尋ねてきたんだ。

「もし、ある人がすでに伴侶がいるにもかかわらず、べつの相手に恋をしたとします。これはたぶん一生に一度の『運命の愛』だと思う——この場合、この人はどうすればいいでしょう？　長年連れ添って仲良く幸せに暮らしてきた夫のもとに残るべきか、それとも自分の心の声に従って、運命の相手についていくか？　どう思われますか？」

わたしは最初、これは舞台に上がる前のウォーミングアップみたいなものだろうと思った。たぶん、似たようなテーマの質問が司会者か聴衆から出されることになっているんだろう、と。だがそのとき、彼女の口もとがはっきりと震えているのに気づいて、それで悟ったんだ。これは彼女自身の人生をめぐる、きわめて個人的な質問なのだと。この女性はきっと良心の呵責に苦しんでいて、わたしとふたりきりで話せるこの機会を利用して「哲学者」から助言を得ようとしたんだろう。

彼女が投げかけた質問は、まさに明確な答えがないタイプの問いだ。それにわたしは、この女性のことも、夫のことも、それに彼女が恋している相手のこともまったく知らない。そのうえ、彼女がわたしのことを権威ある人間とみなしているらしいことも、どうにも居心地が悪かった。だが、これからいっしょに舞台に立たなくてはいけない相手でもある。わたしには、彼女に答える義務があるように思われた。

それでわたしは、たしかおおまかな内容としては、こんなふうに答えたと思う。もしその人が彼女の言うように「自分の心の声に従うべき」だと結論づけたなら、次の十字路でまたべつのだれかが現れたときも、同じ結論を下すことになりますよ、と。ちょうどそこで主催者側のスタッフがやってきて、わたしたちは舞台に向かった。

司会者の女性は入念に準備された開会のフレーズに続いて、これから話題にのぼることになるテーマをいくつかかいつまんで紹介した。それから、わたしが舞台上で短いインタビューを受けて、そのあとは聴衆に発言してもらうコーナーになった。会場にはいくつものマイクが用意されていて、手を挙げた人のところにスタッフがマイクをもっていく。

ほどなくして、わたしは自然科学と生きることにまつわる哲学に関する質問やコメントを大量に浴びることになった。そして、この後者のカテゴリーのなかには、わたしがさっき舞台裏で司会者の女性から尋ねられたのとよく似た質問があったんだ。

それは、「運命の愛」というものを信じますか、という問いだった。

この質問を、わたしは驚くほどしょっちゅう投げかけられる。だが、それも不思議ではないのかもしれない。愛は生と死の問題と同じくらい、多くの人の根幹に関わる問題だからだ。

わたしは、「信じる」と答えた。ただし、ここでいう「運命の愛」というのは、偶然出くわしたり、思いがけずに転がり落ちたりするものではないと思っていることも、強く付け加えておいた。運命の愛は、宝くじの当たりとはちがう。まるでおとぎ話のように、完璧に整えられた状態で、空から降ってくるわけでもない。

人間関係すべてに言えるように、愛とはプロセスだ。このプロセスには、その人自身が自ら携わっていかなくちゃならない。恋愛に関しても、その責任はある程度まではわたしたち自身が負っているんだ（といっても、口で言うほど簡単ではないことは、わたしもよくわかっている。もっとも、あの場ではそうは言わなかったけれど）。

＊

作家というのは、よく自分の書いた本について、読者からじつに細かい質問をされるものだ。ときには、執筆しているときにはそんなこと考えもしなかった、というところを指摘されることもある。また、あまりにもしょっちゅう尋ねられるので、またかと笑みが漏れてしまうような質問も多い。

そういう質問のうちのひとつが、これだ。「なぜ『ソフィーの世界』の主人公は女の子なんですか？」

じつにおかしな質問だといつも思うんだが、それでも、この質問に答えるのをめんどうに思ったことは一度もない。質問した側の人はたいてい、自分の独創的な思いつきに誇らしげだ。それがもう何度もくり返されてきた問いだとは知らないからね。

わたしは何度か、質問に質問で返してみたことがある。「いけませんか？」とか「なぜ女の子ではだめなんでしょう？」というふうに聞き返してみたんだ。

ときには、こんなふうに説明することもあった。『ソフィーの世界』の一年前に書いた『カードミステリー』は父と息子の物語だったので、次は女の子にしたんです、と。

もっとも、この事情はじつはそれほど大きな理由じゃない。哲学をめぐるわたしの物語の主人公は、女の子でないといけなかったんだ。「ソフィー」はギリシャ語で「知恵」を意味する「ソフィア」という言葉からきている。そしてこのソフィアは、古代ギリシャの伝統において女性的な概念だった。「哲学（philosophy）」のもとになった「フィロ・ソフィア（philo-sophia）」という言葉もここから生まれた。プラトンの時代以来、この言葉は「知への愛」を意味しているんだ。教会の歴史をみても、とりわけ原始キリスト教会やその少しあとのギリシャ正教会において、神聖なる知恵を意味する「ハギア・ソフィア」は中心的な概念だった。それはコンスタンティノポリス（現在のイスタンブール）のハギア・ソフィア大聖堂の名にも受け継がれている。

ギリシャ神話の知恵の女神アテナも、ローマ神話のミネルヴァも、知恵が女性に擬人化された姿だ。それにゲルマンの民間信仰にはよく「賢女」が登場する。

それにしても、なぜ知恵は女性的なものと考えられてきたんだろう？　わたしはノルウェーや世界のあちこちで出会った人たちと、このことについてよく考えてきた。

多くの女性は、「理解すること」をとても重視する。そして、それはまさに哲学の本質でもある。いっぽう、多くの男性はむしろ「理解してもらう」ことを求めがちだ。こちらは、哲学的な営みとはほぼ正反対と言わざるを得ない。

そうなると、しごく当然の疑問が浮かんでくる。だったらなぜ、哲学者には女性よりも男性のほうがずっと多いんだろう？

歴史のなかには、女性の哲学者だってもちろんいた。ただ、何百年も続いてきた男性中心の文化のなかでその功績が認められず、後世に伝えられていないだけだ。女性はその性においても、そして知的存在としても、抑圧されていた。女性が大学で学べるようになったのも、そう遠い昔のことじゃない。ノルウェーでは一八八二年にようやく、女性がオスロ大学に入学するのを認める法律がつくられている。

いっぽうで男性の哲学者のなかには、哲学者でありながら、理解するより理解されるほうに重きを置く人びともいる。こういった人たちは、「知を愛する者」として肝心なところで的外れなんだ。

古代ギリシャの哲学者ソクラテス——弟子のプラトンの目から見た彼は、まさに哲学の権化だった——は、かつてこう言った。「わたしは自分が知らないということを知っている」。実際、ソクラテスのエロス〔愛〕に関する思想は、ディオティマという名の学識ある女性から学んだものだという。そんなソクラテスの対極にあるとも言えるのが、ソフィストと呼ばれる人びとだ。彼らは自分の知識をひけらかし、高額の報酬と引き換えに長ったらしい講釈を垂れていた。

ここノルウェーにも、似たような対比を示す好例がある。ヘンリック・イプセンの戯曲『人形の家』の最後の場面だ。主人公のノラは、夫のトルヴァルと幸せな家庭を築いている。だがこの最後の場面で、ノラは気づく。自分は夫のことを理解し、結婚とは何かを理解したい、それは自分にとってきわめて重要なことだと。さらに彼女は、自分自身のこと、宗教のこと、そして人間であることの意味についても理解しようと努める。だが、この場面で同じく明らかになるのは、それに相応する努力をまったくしていない夫トルヴァルの姿だ。彼はノラのことを理解しようとも、夫婦の関係のどこがおかしいのかを突き詰めようともしない。それでいて、自分の主張ばかりを理解してもらおうとする。

わたしがこれについて話しだすと、その場にいる男性たちが目を伏せることが何度かあった。それがうしろめたさからか、それとも不当に非難されたという憤(いきどお)りからかは、わたしにはわからない。いっぽうでかなりの女性たちが、目をきらきらさせて満面の笑みを浮かべてその場に座っているのも、何度も目にした。

だからこそ言っておくべきだと思うのだが、わたしはこの例を通じて、男性と女性の本質を示そうとしたわけじゃない。これまで出会った女性のなかには、自分の意見ばかりを押し通そうとする知ったかぶりの自信家だっていた。その逆に、ほんとうの意味で真実を追い求める、真に「知を愛する」男性たちにも数多く出会ってきた。

人間の本質というのは、男とか女とかいった十把(じっぱ)ひとからげの一般論よりも、もっと深いところにあるんだ。

*

いかにも人間らしい特性のひとつに、虚栄心（きょえいしん）がある。他者から好かれたい、こちらを見てほしい、愛されたい――そうして他者の記憶のなかで生きつづけたい。そう願う気持ちは、ごく自然なものととらえるべきだ。わたしたちはだれもが、そういう性質をもっている。

けれど、他者をかえりみない高慢（こうまん）さについては、そうは言えないとわたしは思う。高慢さは人間だれしもに当てはまる性質ではないんだ。とはいえ、わたし自身はこの手の人間と会うことを、ある意味でおもしろいと思っている。彼らは（少なくとも本人の頭のなかでは）いつも人の輪の中心だ。つねに場を盛り上げ、ときには興味深い話も披露できる（きまって自分の話だ）。

以前にロンドンを訪れたとき、まさにその最たる例のような人に出会ったことがある。この人物は、有名な作家だった。わたしたちはロンドンのバーで、出版社の人たちを交えて会食をした。わたし以外はどうやら以前からの知り合いのようだった。わたしたちは大きな丸テーブルを囲んで座った。たしか、ぜんぶで八人くらいだったと思う。

その有名な作家は、まるで丸い磁石にひとつしかない極でもあるかのように、その場の中心になっていた。それ以外の形になることは、けっして許さないという感じだ。作家が連れてきた出版社の人たちも、彼と同じくそれ以外の形など望んでいないのだろう。

作家は笑顔を浮かべ、よく笑った。だが、まともな会話は交わそうとしない。ただ、その場にいる人間をもてあそびたいだけなのだということが伝わってくる。やがて、作家は罠（わな）を仕掛けてきた。

「シェイクスピアの作品のなかでみなさんのいちばんお気に入りの登場人物はだれですかな」と、彼は切りだした。そして、自分の左隣の女性から順番に尋問（じんもん）を始めた。なかなかうまい手だ。こうすれば、丸テーブルにもかかわらず自分がいちばん優位な位置を占められる。

次つぎとシェイクスピアの登場人物が挙げられ、説得力のある理由が添えられていった。この社交ゲームのルールとして、一度挙げられた登場人物はもう挙げてはいけないらしい。といっても、この場に集まったロンドンの教養人たちにとっては、そう難しいルールではないけれど。『ハムレット』と『マクベス』からはもうあらかた出尽くしていたので、わたしはシェイクスピア最後の作品と言われている『テンペスト』から、プロスペローを選んだ。

丸テーブルをぐるりと一周して最後の人の番がきた。つまりは、彼の番だ。ところが、一座の長はにっこり笑ってウインクしてみせるのみだ。

おや、あなたは？　あなたのシェイクスピア作品のお気に入りはだれなんですか？　わたしたちは尋ねた。

すると彼は高らかに笑った。ほんの少しあざけりを感じさせる声音だった。そして、寛大ぶった調子でこう言ったんだ。「考えてもみてください、わたしは作家ですよ？　自分も作家なのに、シェイクスピアの作品の好きな登場人物なんて言えるわけがない」。自分はシェイクスピアと同等だ——はっきりと口にはしなかったものの、それが彼の言いたいことだったんだろう。そして同席していたわたしたちは、まんまと彼の罠にはめられたということだ。

それでもわたしは、喜んでもう一度言おう。高慢な人間と出会うのも、またおもしろいものだと。この偉(えら)ぶった自慢屋についても、それは例外ではなかった。

わたしたちは、宇宙の尺度ではほんの一瞬に等しい、短い時間をともに生きている。

それなのに、他人にいばり散らすことよりほかに楽しみがない人がいるなんて。まるで、死なんて来ないとでも言わんばかりだ。宇宙の星ぼしも、貧困も、苦しみも、存在しないとでも言わんばかりだ。

そういう姿に、わたしは可笑(おか)しさを感じる。でも同時に、そこには何か心震えるものが——悩みなどない子どもらしさがあるようにも思うんだ。

＊

人生でもっとも大切な価値とはなんだろう？　この問いへの反応もまた、世界のあらゆる場所である程度共通していることを、わたしは実体験から知っている。それも不思議はないだろう。人は、人でしかないのだから。

わたしが人生の根幹的な価値として「健康」を挙げると、あらゆる方面から同意のうなずきが返ってくる。たしかに、健康はほかのほぼすべての価値の前提条件だ。「食卓に何かしら食べ物があること」「家族」「友人」……、ここでもだれもがうなずく。それに、大部分の人にとっては、だれかを愛し、愛され、充実した恋愛をすることも大きな価値をもつだろう。そう言うと、やはりみんながうなずき、理解に満ちた笑みさえ浮かべる。

ところが、わたしが「自然に触れること」や「手つかずの自然」を人生の本質的な価値として挙げると、そんな賛同の空気はたちまち消えてしまう。ときには、「ええと……ほんとうに？　おもしろい考え方ですね」なんて口をはさまれることさえある。そういうとき、わたしは自分がノルウェー人であることを実感するんだ。そして、深い森や、豊かな高原風景や、厳しい山登りのことを説明するのはやめてしまう。

いままでに出会った人びとのなかには、満天の星を見たことがないという人や、鳥やリスや野生公園のシカ以外に、野生の動物を一度も見たことがないという人もいた。そういう人たちは、自分が何か貴重なものを見逃しているとさえ思わない（これはちょっと怖いことだし、なんなら危うい状況だとわたしは思う。近い将来、人類は自然なしで生きる暮らしにすっかり慣れてしまうんだろうか？）。

ほかにノルウェーや北欧で大切にされている価値といえば、男女の平等がある。

――少なくとも、その理想は大事にされている。

一九七〇年代にこの国で若い男性として生きることは、ときにそう楽ではなかった。当時はわずかな年月のうちに、急激な変化が訪れた時代だったからだ。だが、このときに起こった女性解放運動と平等を求める闘いがあったからこそ、いまの自分たちの暮らしはより豊かになったのだと、現在ではおそらくほとんどの男性が思っている。

ここでもやはり、問われているのは人生において大切なものは何かということだ。役員会議に明け暮れる日々と、わが子とともに過ごす時間。わたしたちにとって、どちらがより大切だろう？

わたしはいまでも、八〇年代に仲間の父親のひとりがぽろりと漏らしたひと言をよく覚えている。あれは保育園の階段でのことだった。その男性はとても疲れてストレスを抱えているようすで、思わずといった感じでこう漏らしたんだ。「まったく、子どもっていうのは時間を食うな」

考える間もなく、わたしの口からも答えが漏れでていた。「ええ、生きるっていうのは時間を食うものです」

人生におけるさまざまな価値というのは、たがいに測ったり比べたりできるだろうか？　これはそう簡単なことではないと、わたしは思う。でも、ときどきこんなふうに想像してみる。人は死の床にあるとき、人生の価値についてどんな思いをめぐらすだろう？

もっとテレビを観ればよかったと後悔する人は、きっとそう多くはないと思う。だからといって、テレビを観ることがまったく無価値なわけじゃない。たまにテレビで映画を観るのは、すごく楽しいしリラックスできる時間だろう。

もっと本を読めばよかったとか、コンサートに行きたかった、と思う人が多くいるかというと、わたしにはよくわからない。それならむしろ、もっと山歩きに行けばよかったと後悔している自分の姿のほうが、すんなり想像がつきそうだ。

この種の価値のとらえ方は、人によって大きくちがう。わたし自身は、ゴルフとかボーリングとか乗馬とか犬の飼育とかに熱中する人の気持ちはあまりよくわからない。でも、そういう活動がその人にとって人生の大切な一部であることはわかる。

とはいえ、人が死の間際に後悔するのは、もっとべつのことじゃないだろうか。古い友人に連絡をとればよかった。もっと友人の輪を広げていればよかった。自分の両親や子どもと、もっといっしょに過ごすんだった。あの人を許してあげればよかった。あの人を裏切ってしまった。

それに、自分と真剣に向きあってこなかったことを、自分の才能を活かしきれなかったことを、後悔する人もいるだろう。

あるいは、こう悔やむ人もいるかもしれない。難民や世界の貧しい人びとを救う活動にもっと時間を捧げればよかった。気候変動を食い止める闘いに、なぜもっと力を尽くさなかったんだろう――。

第18章

黄昏（たそがれ）

愛する孫たち、六月がやってきた。またみんなと山荘で会える日ももうすぐだ。

わたしはいま、新しいテラスにカラフルな椅子（いす）を出してきて、それに座ってこの手紙を書いている。膝の上に置いたノートパソコンのキーボードを打っては、北西の空に広がる夕焼けを眺めている。

でも、この辺りで少し休憩（きゅうけい）することにしよう。じきに一階にいるおばあちゃんが、グラスをふたつとしぼりたてのオレンジジュースにカラカラと鳴る氷のキューブを入れた水差しを持って、こちらに上がってくるだろうから。

日が落ちはじめてもう一時間ほどたつが、温度計はまだ二〇度近くを指している。

きみたちに宛てたこの手紙には、一本の糸が張られている。わたしはこの糸を見失うことなく、最後までたどっていくつもりだ。でも、じつはこの手紙にはもう一本、い、い、い、ゆるやかな糸がめぐらされているんだ。まずは、そちらの糸から巻き取っていくことにしようか。

第1章で、わたしは子どものころのある体験を語ったね。そのときの感触はいまでもまだ、昨日のことのように体の奥底に残っている。わたしは自分がこの夢のように美しい世界を、ほんのつかの間訪れているにすぎないと実感したんだ。

そんなはかない生の感覚は、子どもだったわたしをときに苦しめた。けれど、その対極とも言える体験が十代の終わりごろに訪れる。それは、なぐさめと言ってもいい体験だった。自分は何かもっと大きなものの一部であって、その何かはわたしが死んでもなお存在しつづけるのだという感覚。これについても、すでに話したね。森に逃げ込んで、茂みのなかにこもって一夜を明かした朝のことだ。

早朝の森で、わたしは真っ赤な羽に黒い点々をつけた二匹のテントウムシと、小指の爪（つめ）よりもちっぽけなクモたち、そしてさかんに動きまわるアリたち——しかも、とりわけ小さい種類のやつだ——に心をゆさぶられた。そうして突然、まるで自分から何かがすとんと抜け落ちたような感覚を覚えた。

あのときわたしから消えていったのは、自分で自分を押し込めていた固い殻（から）だった。それが消えたとたん、わたしは自分を取り囲むすべてのものに——かつては「全能なる自然」と呼ばれたものに、身をゆだねているかのような感覚を覚えた。全能なる自

第18章

黄昏

然というのは、あらゆる自然には魂が宿っているとする概念で、つまりは一種の汎神論だ。

ところで、わたしはこのとき、なぜ文明に背を向けて森に逃げ込んだのだと思う？ 都会の暮らしのなかに、わたしを殻にこもらせた何かがあったんだろうか？ そしてその何かは、自然のなかに身を置いたとたんに消えていったんだろうか？

きみたちにはこれから、この物語をめぐるもう少しくわしい事情を明かさなくてはならない。もっとも、すべてを打ち明けることはしないつもりだ。それに、いまから話すことには少しばかりの嘘も交じっているかもしれない。

わたしは、ある女の子に出会った。いや、知り合った、と言ったほうがいいかな。それも、かなり深く。当時わたしは十八歳で、その子は一歳ほど年下だった。当時というのはつまり、わたしがすべてをなげうって、これっぽっちの良心の呵責もなしに学校をさぼり、森に逃げ込んだあのとき、という意味だ。まあようするに、より正しく言うなら――わたしはある女の子に恋をした、そういうことだ。

でも、まずはもう少し時を巻き戻そう。その女の子と初めて出会ったとき、わたしはまだ十七歳だった。いまのレオと同い年だ。そして、彼女のほうは十六歳半。にもかかわらず、出会ってわずか数秒で、わたしはもう理解していた。この人こそ自分の生涯の女性だと。このときのことでひとつ確実に言えることがあるとすれば、心のなかでこう思ったのをはっきり覚えている。「見ろ、あそこにぼくの生涯の女性がいるぞ」（このとき、彼女は大きなカウンターの向こうに座っていたんだ）。

まったく、おかしな思いつきだ。奇妙なひらめき。ふつうに考えたら、心の声のたんなる勘違いだ。なにしろ、相手はまだたった十六歳の、いまのオーロラより一歳年上なだけの女の子なのだから。でも、そんなことはたいした問題じゃなかった。彼女が生涯の女性であることは――知り合ってまだ数秒だというのに――わたしには明白だった（その数秒のあいだに、わたしはこの女の子から「学生組合」の会員証を購入していた。彼女はこの組合の会計係で、そのおかげでこちらの名前も知ってもらえたというわけだ）。

彼女はじつに……すばらしかった。

それ以外の形容詞はいらない。言葉は少なければ少ないほどいいんだ。それに、「すばらしい（splendid）」というラテン語由来のこの単語は、それひとつで彼女をあらわすのにじゅうぶんこと足りる。よければきみたちも、この単語のもともとの意味を辞書で調べてみるといい（当時わたしはオスロ大聖堂学校でラテン語の上級コースで学んでいたんだ。splendidus, splendida, splendidum……ってね）〔splendidの語源はラテン語のsplendidus（光り輝く)」。

　もうひとつ大事なことを付け加えておくと、わたしは初めて会ったときから、彼女のことを知っている気がした。なぜそんなふうに感じたのか、それはわからない。ただ、彼女もわたしと同じように、そういう考え方をする人にちがいないと確信していた。まだほんのひと言ふた言、言葉を交わしただけなのに(しかも、わたしはテレパシーなんてぜんぜん信じていないのに!)。

　数分後に知ったのだが、彼女はシーリという名前だった。だれかがそう呼んでいるのを偶然耳にしたんだ。

　わたしたちは、ほとんどすぐに親しくなった。そして翌年には同じ友人グループに属し、例の学生組合で定期的に顔を合わせる仲になっていた。いっしょにパーティーに行き、キャンプに行き、ヘングセンの山荘にまで招待した。ただし、ひとつだけ些細とは言いがたい問題があった。彼女は当時の言い方をすれば、すでに「売れて」しまっていたんだ。つまり、彼女にはもう付きあっているボーイフレンドがいた。このボーイフレンドはやはり学生組合のメンバーで、パーティーにもキャンプにもいっしょにやってきた――それどころか、ヘングセンにまで。彼はいつでもわたしたちについてきた。まったく厚かましいやつだ! まあ、これはもうどうしようもない。それでもわたしは、彼女が自分の生涯の女性だと信じて疑わなかった。ほんとうにたまにだけれど、遅かれ早かれ彼女といっしょになれるんじゃないかと思ったことさえある。

さて、もう当然気づいていると思うけれど、この女の子はきみたちのおばあちゃんだった。いや、「だった」というか、きみたちのおばあちゃんだ。きみたちのおばあちゃんになった、と言ったほうがいいかな。そう、さっき一時間ほど前にしぼりたてのオレンジジュースをもってこのテラスに立っていた、まさにその人だ。

いまここでは、当時のことをこれ以上話すのはやめておこう。でもこれで、わたしが平日に学校をさぼってまで街を抜けだし、森にこもっていた理由は察してもらえたと思う。わたしは、ひとりになりたかったんだ。もしここで物語が終わっていたら――たとえば森での体験で得た感覚によって、わたしの「生涯の女性」への強い思いが薄れていたら、あるいは、もっと深い関係になる前に、彼女と疎遠になってしまっていたら――、そうしたら、わたしがいまこうしてテラスに座ってきみたちに手紙を書くこともなかっただろう。だって、レオ、オーロラ、ノア、アルバ、ユリア、マーニ、もしそうなっていたら、きみたちはこの世にいなかったのだから。

そう、きみたちは生まれていなかったかもしれないんだ。世界はいまとは少しだけちがっていて――なぜなら、たったひとりかふたりの人間が、大きな変化のきっかけになるかもしれないのだから――、その世界にきみたち六人はまったく存在していなかったかもしれない。想像してみてごらんよ！

過去の何かがほんの少しちがっていただけで――たとえば、母親や父親がバスや地下鉄を一本逃しただけで――自分はいまここにいなかったかもしれない。この世に生まれてこなかったかもしれない。世界は変わらず回っているけれど、そこに自分はいない。そういうふうに想像するのは、かなり難しいものだ。

同じように、自分がいつの日かこの世界からいなくなるのだと想像するのも、やはり難しい。世界は続いていく――でも、そこに自分はいない。

「自分が存在していない状態」を想像するのは、ほとんど不可能に近い。そんな芸当ができるのは、たぶんごくかぎられたわずかな人だけだ。

わたしはいつも、「自分がここにいる」ことに、言葉で言いあらわせないほどの奇妙さを感じてきた。つまり、自分がこの世界にいて、生きていることに、だ。わたしは人生を通じてずっと、その体感を言葉にしようとしてきた。それがはたしてうまくいったのかは、よくわからない。でも、わたしがその努力をしていないとはだれひとり言わないはずだ。

子どものころ、わたしはおとなたちに見放された気がした。この世界が存在していて、そこにわたしたちがいることを、「変」だと認めようとしなかったおとなたち。この世界は「正常だ」と、彼らは断言した。でも、わたしのなかの何かはこう反論していた。なんでだ、どうして「たしかにそれは変だね」って言ってくれないんだ。それどころか、ちょっと神秘的だと認めてくれたっていいのに。それか、まったく常軌を逸した、とんでもないことだって……。

そんなわたしも成長するにつれて、もっと上手に自分の考えを表現できるようになっていった。作家になったのはたぶん、思い上がったおとなたちへの、わたしなりの仕返しだったんだろう。世界をあたりまえだと思うようなおとなにはけっしてなるまいと、わたしは誓（ちか）ったんだ。「世界に慣れっこ」にはけっしてなるまいと。

いっぽうで、その反対、つまり「自分がもういないこと」を言葉であらわすのも、同じくらい難しいとつねづね感じてきた。わたしたちはいま、ここにいる。たった一度きり。いまここにいるのは、わたしたちなんだ！　そして、それが終われば、もう二度と戻ってくることはない。

わたしはそのことを、あの日――世界をいわば初めて体験した日に知ったんだ。あれはたしか日曜日だった。そのときのことは、もう話したね。はっと気づいたら、わたしはまるでおとぎ話のような魔法の世界にいた。ただし、その世界を知った代償として、同時に悟らされたんだ。自分はいつの日か死ななくてはならないのだと。そしていま、その日はあのころよりも少しだけ近づいている。こうして北西の夕焼けに目をやりながら、わたしはたびたび、そのことを思う。

　自分という存在を失う悲しみを、埋めあわせてくれるものはあるのだろうか？　その喪失を償い、それに報いてくれるものなど存在するのか？　この問いは年齢に関係なく、わたしたちだれもに関わってくる問いだ。そして、その答えは人によってほんとうにさまざまだろう。だからわたしは、自分に関して答えることしかできない。わたしの答えは、こうだ。

　次のふたつのうち、どちらかを選べと言われたとしようか。いまここで自分は死ぬけれど、その代わりに人類と地球の生物多様性はずっと遠い未来まで守られるか、それとも自分は百歳を過ぎても健康に長生きできるけれど、地球は病を抱えて暗い未来を迎えるか。それなら、わたしは迷わず帽子を取って別れを告げ、「いまここ」から退場するほうを選ぶ。しかも、まったく当然のこととして、そちらを選ぶだろう。自己犠牲とか義務ではなく、わたし自身を救うために。わたしと、わたしを形づくるものを救うために。

この決意はわたし自身の年齢や人生の段階とは関係ない。というのも、もう四半世紀前からまったく同じように考えていたからだ。この地球の一員でいつづけることは、生まれもったわたしの権利だ。世界市民としてのパスポートやそのほかのさまざまなものの有効期限が切れても、わたしのこの権利は失われない。

わたしにとって、この問いは自分のアイデンティティに関わってくる。アイデンティティとはつまり、自分は何者かということだ。わたしは、いまこうして外のテラスに座って六月の夕暮れのなかでパソコンを打っている、この体だけの存在ではない。それだけが自分だというとらえ方は、薄っぺらくて、表面的で、何かがちがう気がする。わたしは、もっと大きくて力強い何かを代表している。そして同時に、わたし自身がもっと大きくて力強い何かなんだ。

これが、みんなに宛てたこの手紙のなかで、わたしが貫いてきた一本の糸だ。きみたちはより大きな「自分」と――この地球そのものと同じ存在なんだ。きみたちに命を与え、きみたちがこれからも長く生きる場所となる、この地球と。この手紙を通じて、みんなにもそのことを知ってほしい、それがわたしの願いだ。

人は永遠に生きられるわけではない。この「わたし」も、周りの人たちも、いずれはいなくなる。そう気づかされたとき、多くの人はぞっとする。氷のように冷たいものが背筋を走るその感覚を、ほとんど感じずにきた人もいるだろう。いっぽうで、またべつの人にとっては、それはその後の人生の感じ方を大きく左右してしまうほどの衝撃となる。

　自分たちが地球にどれだけのダメージを与えることになるか、その最悪のケースを考えるとき、わたしは同じような衝撃を受ける。

　もし、地球の多様な生物とその生命基盤がこれからも守られると多少なりとも信じることができたなら、「いまここ」を立ち去るのも、そうつらくはないのかもしれない。わたしたちはいま、自分という存在のいちばん奥深くにある自らのアイデンティティを賭けて、いちかばちかの大勝負をしている。なぜなら、地球の健やかさと多様性が損なわれたなら、それはわたしたち自身が損なわれたのと同義だからだ。

　わたしは悲観主義者ではないと思う。前にも書いたとおり、悲観は怠惰や責任逃れと何も変わらない。とはいえ、じゃあ楽観主義者かというと、それもまたぜんぜんちがう。楽観主義はいわば、生きるうえでの現実に対してバリケードを張って引きこもるようなものだ。

この両極端なふたつのあいだにあるのが、希望だ。悲観と楽観はどちらも気分を示しているけれど、希望はそういった気分的なものとは少しちがう。希望とは、闘う勇敢（ゆうかん）さだ。そして希望の礎（いしずえ）となるのは、望むものを強く信じる気持ちなんだ。

この言葉をもって、きみたちへの手紙を締めくくろう、レオ、オーロラ、ノア、アルバ、ユリア、マーニ。未来のよりよい世界のために闘う理由が、わたしたちにはたくさんある。そして、よりよい世界を信じるだけの理由も、やはりたくさんあるんだ。

きみたちはどう思う?

そうだ、それと……二十一世紀末の地球は、どうなっているかな?

本書に掲載されたゴルデルの作品（掲載順。＊印は現在入手困難）

○『フローリアの「告白」』（ＮＨＫ出版一九九八年）＊
○『カードミステリー』（徳間書店一九九六年）
○『アドヴェント・カレンダー』（ＮＨＫ出版一九九六年）＊
○『ピレネーの城』（ＮＨＫ出版二〇一三年）＊
○『鏡の中、神秘の国へ』（ＮＨＫ出版一九九七年）＊
○『ソフィーの世界』（ＮＨＫ出版一九九五年）
○『マヤ』（ＮＨＫ出版二〇〇五年）＊

訳者あとがき

『未来のソフィーたちへ』はノルウェーの作家ヨースタイン・ゴルデルが二〇二一年に発表した作品です。ゴルデルは一九五二年生まれ。高校で哲学教師として働くかたわら執筆した〝世界一やさしい哲学書〟『ソフィーの世界』（一九九一年、日本語版一九九五年、NHK出版）が世界的なベストセラーとなったことで、一躍日本でも広く知られる人気作家となりました。その後は執筆活動に専念し、哲学、宇宙論、生命の不思議、生きることの意味といった深遠なテーマと、謎をはらんだミステリー仕立ての物語とを融合させた魅力的な作品を次々と世に送り出しています。

本作『未来のソフィーたちへ』は、そんなゴルデルが六人の孫たちにあてた手紙をそのまま本にした、著者初のエッセイです。

この本の翻訳のお話をいただき、原文を読みはじめた時点で、これはとにかく彼のこれまでの著作をしっかりと読み込まなくてはならないと感じました。やさしい言葉で書かれてはいても、その根底に流れるゴルデルの哲学的な考えをもっと深く知らなければ、この本をきちんと訳すことは困難に思えたからです。

それから、翻訳作業と並行してゴルデルの本を少しずつ読み進める日々が始まりました。まずはもちろん、『ソフィーの世界』。それに、『カードミステリー』（一九九〇年、日本語版一九九六年、徳間書店）、『鏡の中、神秘の国へ』（一九九三年、日本語版一九九七年、NHK出版）、『フローリアの「告白」』（一九九六年、日本語版一九九八年、NHK出版）、『オレンジガール』（二〇〇三年、日本語版二〇〇三年、NHK出版）……。

ゴルデル作品の神髄である哲学的な思考や、生命や宇宙に対する深い視点は、本書においてももちろん健在です。ただし、これまでとちがうのは、それらが架空の物語としてではなく──本文の言葉を借りれば、誰かに「アースされる」ことなく──、彼自身の言葉として直接語られているという点でしょう。

これはゴルデル自身にとっても、少し勝手の違う作業だったようです。ドイツの新聞のインタビューで、彼は次のように語っています。「手紙という形で本を書くのも、『わたし』という一人称視点の語りを使うのも、これがはじめてではありません。でも、『わたし』がわたし自身のことを指すのは、今回がはじめてです。最初はものすごくプライベートな感じがしたものです。孫たちへの手紙という形をとったのも、この『わたし』と少し距離をとるための手段でした。自分で自分の周りをぐるぐるめぐるように語るより、受け手がいるほうがしっくりくるからです」

六人の孫たちにあてた手紙という形で、ゴルデルはときにおだやかに、ときに切実な思いを込めて語りかけます。自身の原点となった子ども時代の体験について。「生きているって、存在するって変じゃない?」という幼少時からの疑問について。世界とひとつになる感覚について。宇宙や、時間や、人の意識について。そして、地球の壊れゆく環境と、どうすればこの惑星を守れるのかという哲学的な問いについて――。

なかでもはっとさせられるのが、「自分はこの世界をつかのま訪れているだけ」という子ども時代の気づきと、「自分と世界は一体である」という二つの相反する感覚です。これはまさにゴルデルの哲学者としての、そして作家としての原点とも言えるでしょう。「わたし」は「わたし」という個の存在にとどまらない。いつか死を迎えてその体が朽ち果てても、もっと大きなものの一部であり続ける。ゴルデルが若い世代に向けて伝えたかったそんなメッセージは、孤立感に悩み、生きる意味をみいだせずにいる現代のすべての人にとって――年を重ね、若い人よりも少しだけ死を身近に感じるようになった世代にとっても――深く心に響くことでしょう。

本書の翻訳は、二〇二三年に出版されたドイツ語版をもとに行いました。翻訳にあたってはノルウェー語原版を参照しつつ、原文に込められた意図やニュアンスをできるかぎり正確に再現しようと努めています。

　ちなみに、ノルウェー語の原題は *Det er vi som er her nå: En livsfilosofi* で、直訳すると「いまここにいるのはわたしたち：ある生の哲学』となります。未来をつくるのは、いまを生きるわたしたちなのだというメッセージが伝わってきます。

　いっぽうドイツ語版の原題は *Ist es nicht ein Wunder, dass es uns gibt?*（「わたしたちが存在するって、不思議じゃない？」）です。この世界が、そしてわたしたちが存在するとは、いったいどういうことなのか。ゴルデルの思想の源泉ともなった問いかけを冠した、これもまたすてきなタイトルではないでしょうか。

　最後になりますが、この本の翻訳でお世話になった皆様に、この場を借りて御礼を申し上げたいと思います。本書を翻訳する機会をくださった株式会社リベルの山本知子さん、翻訳作業の全工程にわたりサポートしてくださったリベルの皆様、原文の背景にある哲学的視点を大変ご親切にわかりやすくご教示くださった須田朗先生、そして、訳文を何度もチェックしてくださり、数かずの的確なご指摘とご助言を通じて本書を完成に導いてくださったＮＨＫ出版の猪狩暢子さんに、心より感謝申し上げます。

二〇二四年六月

柴田さとみ

ヨースタイン・ゴルデル *Jostein Gaarder*

1952年ノルウェーのオスロ生まれ。ベルゲンの高等学校で哲学と思想史を教えながら作品を発表。のちに執筆活動に専念。世界的ベストセラーとなった哲学史小説『ソフィーの世界』(NHK出版 1995年)は、2024年現在67の言語に翻訳されている。本書は著者初のエッセイ。

柴田さとみ *Shibata Satomi*

ドイツ語・英語翻訳家。東京外国語大学外国語学部欧米第一課程卒。訳書にW.ティレマン『母さん もう一度会えるまで～あるドイツ少年兵の記録』(毎日新聞社)、S.v.d.スタップ『ソフィー 9つのウイッグを持つ女の子』(草思社)、T.ハーフェナー『とっさのしぐさで本音を見抜く』(サンマーク出版)、『ローダンNEO』シリーズ(早川書房)(以上ドイツ語)、A.ブーラ『Moonshot ムーンショット』(光文社)、M.オバマ『マイ・ストーリー』(集英社、共訳)(以上英語)など多数。

編集協力 須田 朗
株式会社リベル
校正 髙橋由衣
組版 佐藤裕久

未来のソフィーたちへ
「生きること」の哲学

2024年7月10日　第1刷発行

著　者　ヨースタイン・ゴルデル

訳　者　柴田さとみ

発行者　江口貴之

発行所　NHK出版
〒150-0042 東京都渋谷区宇田川町10-3
電話 0570-009-321(問い合わせ)
0570-000-321(注文)
ホームページ　https://www.nhk-book.co.jp

印　刷　亨有堂印刷所／大熊整美堂

製　本　ブックアート

ISBN978-4-14-081968-5　C0098